ドイツ語
日本紹介事典

JAPAPEDIA
ジャパペディア

IBCパブリッシング 編

ミューラ・マルクス 訳

IBCパブリッシング

協 力　　　　＝ CHK English Proficiency Test Grading Center

カバーデザイン ＝ 岩目地英樹（コムデザイン）

イラスト　　　＝ テッド高橋、横井智美

まえがき

　西ヨーロッパの中で、ドイツの立ち位置はユニークです。

　ドイツは長い間、諸侯が乱立する分断国家でした。強固な王朝があり、それが清教徒革命（1642-1649）を経て市民社会へと変貌を遂げたイギリスや、同じくルイ14世（在位1643-1715）の頃にはヨーロッパ第一の強国に成長し、その後、フランス革命（1789-1795）を経て近代国家となったフランスなどと比較すれば、ドイツが現在の国家としてまとまったのは、ずっと後の19世紀になってからでした。

ですから、ドイツは市民社会がいち早く成熟したフランスやイギリスを追いかける形で、19世紀から20世紀にかけての植民地獲得競争にも参加せざるを得なかったのです。このことが、ドイツを二度の世界大戦で、西側諸国を敵に回す原因となったことは不幸なことでした。

　ここまで解説するとお気づきのように、日本の近代史とドイツの近代史には極めて類似したものがあるのです。第二次世界大戦でドイツと日本が、イタリアも含め枢軸国となった悲しい歴史の背景にも、共通点があることがわかります。日本は、明治維新でそれまで立ち遅れていた国際社会での地位を獲得しようと躍起になりました。ヨーロッパに位置し、ドイツは日本より先に産業革命を経験しました。そのため、明治維新以来、ドイツは日本の大きなモデルとなったのです。それは、単に軍事的な技術を学ぶだけではなく、ドイツの法体制は天皇の下で国民を統合する法的背景となった大日本帝国憲法の作成にも大きな影響を与えたのです。この両国の深い関係から、明治時代から大正昭和にかけて、音楽や文学、あるいは哲学などの文化面においても、ドイツに留学し帰国した人々が、日本での文芸学術界での中枢を担うようになったのです。

　近年、ゲーテやヘッセ、あるいはトーマス・マンといったドイツ文学を学ぶ人が少なくなったことが学界では問題になっています。ドイツ語の学習者も以前に比べれば大きく減少しているといわれています。国と国との交流を考えるとき、これはなんとか克服しなければなりません。というのも、ここで記したように、日本とドイツとは、歴史の明暗を共に体験してきた精神的な隣国に他ならないからです。

　そして、現在のドイツは日本と同様に、世界の平和に貢献する国家として、ヨーロッパにあってはEUの要としての役割を担っています。

経済も国のサイズも日本と近く、ヨーロッパ経済にとって、ドイツは欠くことのできない豊かさを享受している国家です。第二次世界大戦以降、平和国家としてドイツが再生されたことが、少なくとも西ヨーロッパが戦後の長きにわたって銃火に晒されなかった大きな要因となっているのです。

　であればこそ、本書「ドイツ語日本紹介事典 ジャパペディア」によって、日本の文物、歴史、政治経済社会など、さまざまな事柄をドイツ語で説明する機会ができたことは、とても意義深いのではと思います。ぜひもう一度、ドイツという国を見つめ直し、近代から現代に至る日本との長い交流の歴史を振り返ってもらえれば幸いです。

　その上で、一人でも多くの読者が、この一冊を持ってドイツ人と交流し、日本のことを改めて紹介していただければと祈念しているのです。

山久瀬 洋二

読者の皆様へ

　本書を手に取っていただき、またドイツ語に興味を持っていただいている読者の皆様、ありがとうございます。

　本書「ドイツ語日本紹介事典 ジャパペディア」のドイツ語への翻訳を手掛けるにあたり、私はどんな方が読んでくださるのかと想像してみました。そして、２種類の読者を想定しました。それは、ドイツ語を勉強している方と、ドイツ人に日本を紹介したいと思っている方々です。

　日本語とドイツ語はまったく異なる言語です。ですから、ボキャブラリーや文法を学ぶだけではなく、どれだけ自然なドイツ語を身につけられるかが大切だと私は思っています。そういう意味で、私が今回の翻訳で目指したのは、あまり日本のことを知らないドイツ人にとっても理解しやすいドイツ語の文章を提供するということです。そのため、翻訳文の中には、皆さんが想像していたものとは少し違う単語が使われていたり、時には追加情報が含まれていることもあるでしょう。これは、皆さんが自然なドイツ語を感じ取る上でも大切なことですし、ドイツ人がこの素敵な国をよりよく理解するのにも、大変役立つものと確信しています。

　もちろん翻訳の仕方はいくつかあるでしょう。逐語訳のように原文に従って一語一語忠実に翻訳するやり方もあるでしょう。ですので、私の翻訳が唯一のものとは思わないでほしいと思います。他のヨーロッパの言語と同様、自然なドイツ語にはさまざまな言い回しや言葉遣いがあります。本書では、前述したように、ドイツ人にとって理解しやすいドイツ語にするということに主眼を置きました。

　本書を手に取ってくださったあなた、そしてあなたが日本のことを説明する相手の方が、この本を楽しんでくださることを願っています。

ミューラ・マルクス

◆ドイツの基本情報

上＝黒
中＝赤
下＝黄

国名：ドイツ連邦共和国
　　　Bundesrepublik Deutschland
　　　（英：Federal Republic of Germany）
首都：ベルリン

公用語：ドイツ語
面　積：35.7万平方キロメートル
人　口：約8,279万人
通　貨：ユーロ

政　体：連邦共和制（16州）
大統領：2017年よりフランク＝ヴァルター・シュタインマイヤーが連邦大統領を務
　　　　める

　豊かな文化遺産を持ち、産業、科学、芸術などの分野で世界的に大きな影響力を持つドイツは、歴史的にも現在もヨーロッパで最も影響力のある国のひとつです。ヨーロッパ中西部に位置するドイツは、デンマーク、ポーランド、チェコ共和国、オーストリア、スイス、フランス、ベルギー、ルクセンブルク、オランダの9カ国と国境を接しており、欧州連合（EU）の中心的な役割を担っています。

　第二次世界大戦後の1949年に設立されたドイツ連邦共和国は、当初は西ドイツのみで構成され、東ドイツはソ連の支配下で独立国家を形成していました。しかし、1989年のベルリンの壁崩壊後、1990年に歴史的な出来事としてドイツは再統一されました。

　ドイツの地形は多様で、北部の低湿地から中央部の高原地帯、南部のバイエルン・アルプスまであります。エルベ川やドナウ川などの重要な河川に混じって、ライン川が美しい景観の背景を作り、重要な産業輸送路になっています。

ケルン・ケルン大聖堂

ベルリン・ブランデンブルク門

デンマーク

ハンブルク

ブレーメン

ポーランド

オランダ

ベルリン

ライン川

ベルギー

ケルン

ドイツ連邦共和国

ルクセンブルク

フランクフルト

チェコ

フランス

ミュンヘン

オーストリア

スイス

ブレーメン・
ローラント像

フランクフルト・銀行街

ミュンヘン・BMW本社

●音声ダウンロードについて●

　本書のドイツ語の音声ファイル（MP3 形式）をダウンロードして聞くことができます。

　各セクションの冒頭にある QR コードをスマートフォンで読み取って、再生・ダウンロードしてください。音声ファイルはトピックごとに分割されていますので、お好きな箇所をくり返し聞いていただけます。

　また、下記 URL と QR コードからは音声ファイルを一括ダウンロードすることができます。

https://ibcpub.co.jp/audio_dl/0779/

※ 一括ダウンロードしたファイルは ZIP 形式で圧縮されていますので、解凍ソフトが必要です。

※ MP3 ファイルを再生するには、iTunes や Windows Media Player などのアプリケーションが必要です。

※ PC や端末、ソフトウェアの操作・再生方法については、編集部ではお答えできません。付属のマニュアルやインターネットの検索を利用するか、開発元にお問い合わせください。

第1章

日本の基本情報

日本の基本情報
日本の地理・気候

日本の基本情報

「にっぽん」または「にほん」と読みます。どちらも多く用いられているため、日本政府は正式な読み方をどちらか一方には定めておらず、どちらの読みでも良いとしています。古くは「倭」と呼ばれました。

国名

☐ 日本語では、日本のことをニッポンといいます。

☐ ニッポンは日本の公式な名前です。

☐ 日本人は時々、ニッポンをニホンと発音します。

暦・元号

☐ 日本は西洋諸国と同じ暦を使っています。

☐ 旧暦とは太陰暦のことで、日本は1872年まで使っていました。

☐ 日本では、西暦と日本式の元号の両方を使っています。たとえば、西暦2023年は、令和5年です。

☐ 元号はもとは中国からきたものですが、今では日本独自の制度を使っています。

☐ 日本の年号制度では、新たな天皇が皇位を継承してからの年数が基本になっています。

☐ 2023年は日本式では令和5年です。現在の天皇が皇位を継承して5年目ということです。

民族・移民

☐ 日本の人口の98.5%が日本人です。

☐ およそ44万人の韓国人移民が日本には住んでいます。

Track01

Landesname

Der Landesname lautet auf Japanisch *Nippon*.

Nippon ist der offizielle Name des Landes.

Japaner sagen manchmal statt „Nippon" „Nihon".

Kalender und Regierungsdevise

In Japan wird – wie in westlichen Ländern – der gregorianische Kalender verwendet.

Davor wurde bis 1872 ein Mondkalender verwendet.

In Japan werden die Jahre sowohl nach westlicher als auch traditioneller Art gezählt. So ist das Jahr 2023 gleichzeitig *Reiwa 5*.

Die Regierungsdevise (*Nengō*) stammt zwar ursprünglich aus China, findet heutzutage jedoch nur noch in Japan Anwendung.

In Japan beginnt die Zählung der Jahre von Neuem, wenn ein neuer japanischer Kaiser (*Tennō*) den Thron besteigt.

Der aktuelle japanische Kaiser ist also im fünften Jahr seiner Regentschaft.

Ausländer in Japan

Die japanische Bevölkerung besteht zu 98,5 % aus Japanern.

Es leben etwa 440.000 koreanische Einwanderer in Japan.

□ 日本に住む外国人で一番多いのが中国人で、その次が韓国人、ベトナム人となっています。

□ 日本には、約6,000人のドイツ人が住んでいます

□ 日本に住んでいる外国人は、およそ290万人ほどです。

□ 北海道にはアイヌと呼ばれる先住民がいます。

□ 北海道にはアイヌと呼ばれる先住民がいて、その人口は約13,000人です。

□ 2019年、日本を訪れた外国人はおよそ3180万人です。

□ 日本人と結婚して日本に住む外国人はおよそ20万人です。

□ 日本にいる留学生の数は約24万人です。

時間帯

□ 日本標準時はUTC（世界標準時）プラス9時間です。

□ 日本は、ドイツより8時間進んでいます（サマータイム時は7時間）。

□ ドイツは日本より8時間遅れています。

□ 日本と韓国は同じ時間帯です。

単位

□ 日本では、1885年以来、メートル法を使っています。

□ 重さの単位にはグラムを、体積の単位にはリットルを使います。

□ 尺貫法とは、日本古来の計量法です。尺は長さの単位、貫は重さの単位です。

□ 日本の通貨は円です。

Die meisten in Japan lebenden Ausländer kommen aus China, gefolgt von Korea und Vietnam.

Rund 6.000 Deutsche leben in Japan.

Insgesamt leben ungefähr 2,9 Millionen Ausländer in Japan.

Auf Hokkaido gibt es Ureinwohner, die Ainu.

Auf Hokkaido gibt es grob 13.000 Ureinwohner, die Ainu.

Im Jahr 2019 haben etwa 31,8 Millionen Ausländer Japan bereist.

Es gibt rund 200.000 in Japan lebende Ausländer, die mit einem Japaner oder einer Japanerin verheiratet sind.

Ungefähr 240.000 Ausländer studieren in Japan.

Zeitzone

Die japanische Standardzeit ist UTC (Universal Time Coordinated) plus 9 Stunden.

Japan liegt 8 Stunden vor Deutschland (während der Sommerzeit 7 Stunden).

Deutschland liegt 8 Stunden hinter Japan.

Japan und Korea liege in derselben Zeitzone.

Einheiten

In Japan wird seit 1885 das metrische System verwendet.

Gewichte werden in Gramm und Volumen in Litern gemessen.

In der japanischen Antike wurde ein Maßsystem namens *Shakkanhō* verwendet. Längen wurden in *Shaku* (ca. 30,3 cm), Gewichte in *Kan* (ca. 3.750 g) gemessen.

Die Währung Japans ist der Yen.

☐ 日本の通貨は円で、換算レートは変動為替相場が基本になっています。

☐ 銭と厘は、円のさらに下の単位ですが、今では使われていません。

交通・入国

☐ 日本では車は左側通行です。

☐ 主要空港は、東京近郊にある成田国際空港と、大阪周辺向けの関西国際空港です。

☐ 東京周辺には、成田と羽田に国際空港があります。

☐ 関西国際空港は、大阪周辺地区向けです。

☐ 中部国際空港は、名古屋周辺地区向けです。

☐ 羽田空港は、国際線ネットワークの拡張を行っているところです。

成田空港

☐ 北海道の千歳国際空港と九州の福岡国際空港からは、国際線も乗り入れています。

電話・インターネット

☐ 日本の国際電話の国番号は81です。

☐ たいていのホテルには、Wi-Fiが完備されています。

☐ ネットカフェに行けば、インターネットにアクセスできる有料のパソコンが使えます。

☐ 公共交通でもWi-Fiが利用できます。

Die Währung Japans ist der Yen, dessen Umrechnungskurs auf einem schwankenden Wechselkurs basiert.

Heute nicht mehr in Verwendung sind die kleineren Münzen *Sen* und *Rin*.

Verkehr und Einreise

In Japan fahren Autos auf der linken Seite.

Hauptflughäfen sind in der Region Tokio der Internationale Flughafen Narita und in der Region Osaka der Internationale Flughafen Kansai.

Im Großraum Tokio gibt es in Narita und Haneda einen internationalen Flughafen.

Der internationale Flughafen Kansai befindet sich im Großraum Osaka.

Der internationale Flughafen Chubu befindet sich im Großraum Nagoya.

Mit dem Flughafen in Haneda werden die internationalen Flugverbindungen erweitert.

Auf Hokkaido gibt es den Flughafen Chitose und auf Kyushu den Flughafen Fukuoka. Beide Flughäfen bieten auch Flüge ins Ausland.

羽田空港

Telefon und Internet

Die internationale Vorwahl von Japan lautet +81.

Fast alle Hotels verfügen über WLAN.

In Internetcafés kann man mit kostenpflichtigen PCs ins Internet.

Auch öffentliche Verkehrsmittel bieten WLAN an.

日本の地理・気候

日本の位置、地勢や気候をドイツ語で説明できるようになりましょう。日本は島国ですが、ドイツは9カ国と国境を接している点で大きく異なります。日本には四季があることや、夏は暑さの他に湿度が高いことなどを説明できるといいでしょう。

日本の位置

□ 日本は極東に位置しています。

□ 日本は極東の、アジアの端にあります。

□ 日本の近隣諸国は、韓国、中国、ロシアなどです。

□ 日本は極東に位置しており、隣国は韓国、中国、ロシアです。

□ 日本海の向こうは、中国、ロシア、韓国です。

□ 日本とアジア諸国の間には、日本海があります。

□ 日本は太平洋を挟んで、アメリカと向き合っています。

□ 日本は環太平洋地域の国のひとつです。

□ 東京からベルリンまでの距離は8,910キロです。

□ ドイツから東京までは飛行機でおよそ12時間かかります。

□ ドイツには日本への直行便がある空港が3つあります。フランクフルト空港、ミュンヘン空港、デュッセルドルフ空港です。

【正誤表】本書に下記の通り、誤記がありました。お詫びして訂正いたします。

該当箇所	誤	正
p.12 最終行	およそ44万人の韓国人移民が日本には住んでいます。	およそ44万人の韓国・朝鮮人移民が日本には住んでいます。
p.15 Zeitzone 最終行	Japan und Korea liege in derselben Zeitzone.	Japan und Korea liegen in derselben Zeitzone.
p.36 奈良 キャプション	Nara, ang sinaunang kabisera	Historische Monumente des alten Nara
p.38 最終行	日光は栃木県にあり、......徳川家康を祀る東照宮のほかに	日光は栃木県にあり、......徳川家康を祀る東照宮のほかに
p.39 最終行	Nikko liegt in der Präfektur Tochigi und ist nur dafür bekannt, dass hier der erste Shōgun der Tokugawa-Shōgunats, Ieyasu Tokugawa, den Tōshō-gū errichten ließ, sondern auch eine üppige Natur bietet.	Nikko liegt in der Präfektur Tochigi und ist nicht nur dafür bekannt, dass der Tōshō-gū dem ersten Shōgun des Tokugawa-Shōgunats, Ieyasu Tokugawa, gewidmet ist, sondern auch eine üppige Natur bietet.
p.42 姫路城 2つ目	姫路城は17世紀に築城され、その......	現存する天守は17世紀に建築されたもので、その......
p.43 姫路城 2つ目	Die Burg Himeji wurde im 17.	Der noch existierende Hauptturm wurde im 17.
p.50 主な温泉地 地図	⑤秋保 Akiho	⑤秋保 Akiu
p.50 主な温泉地 地図	地図中の温泉の位置	下の地図を訂正
p.50 最下段	Furo – ZBad	Furo – Bad
p.65 下から6行目	Daneben gibt es auch *Karensansui*.	Daneben gibt es auch *Karesansui*.
p.112 上から6行目	Hanami – Feier zur Kirs	Hanami – Feier zur Kirschblüte
p.128 上から3行目	セクには竹を立てて、願い事を書いた紙を......	セクには竹を立てて、願い事を書いた紙を......
p.146 表中 4位	Simens（AG シーメンス）	Siemens AG（シーメンス）
p.146 表中 5位 説明文	Bayerischen Motoren Werke GmbHの頭文字から......	Bayerischen Motoren Werke AGの頭文字から......
p.167 Sado 1行目	......Zeremonie, bei dem Tee	......Zeremonie, bei der Tee
p.169 1行目	......Muromachi-Zeit (1390-1572).	......Muromachi-Zeit (1338-1573).
p.196 1行目	東京駅は新幹線の......地下鉄に乗りかけることができます。	東京駅は新幹線の......地下鉄に乗りかえることができます。
p.205 2次元コード	Track16の2次元コードが正しいと声にリンクしない	下記に正しい二次元コードを記載
p.219 下から2行目	Naniwa ist das Handelszentrum	Namba ist das Handelszentrum
p.220 下から3行目	北海道の西側の沿岸には......	北海道の北側の沿岸には......
p.221 下から3行目	......die an die Westküste Hokkaidos......	......die an die Nordostküste Hokkaidos......
p.244 最終行	......温泉リゾートしてとても有名です。	......温泉リゾートしてとても有名です。
p.252 下から5行目	大阪、京都、神戸が......大大阪経済圏を形成しています。	大阪、京都、神戸が......大阪経済圏を形成しています。
p.258 和歌山県 5つ目	高野山は、......真言宗は819年に有名な......	高野山は、......真言宗は9世紀初頭に有名な......
p.259 上から5行目	Kōya-san......befindet. Er wurde 819 vom berühmten Daishi Kōbō gegründet.	Kōya-san......befindet. Er wurde Anfang des 9. Jahrhunderts vom berühmten Daishi Kōbō gegründet.
p.273 下から5行目	Der Japanstrom (*Kuroshiro*)	Der Japanstrom (*Kuroshiro*)
p.286 最終行	日本人にとって、沖縄本島の18%を占める......	日本人にとって、沖縄本島の約15%を占める......
p.287 最終行	Dass 18 % der......	Dass 15 % der......

p.50 正しい地図　　主な温泉地

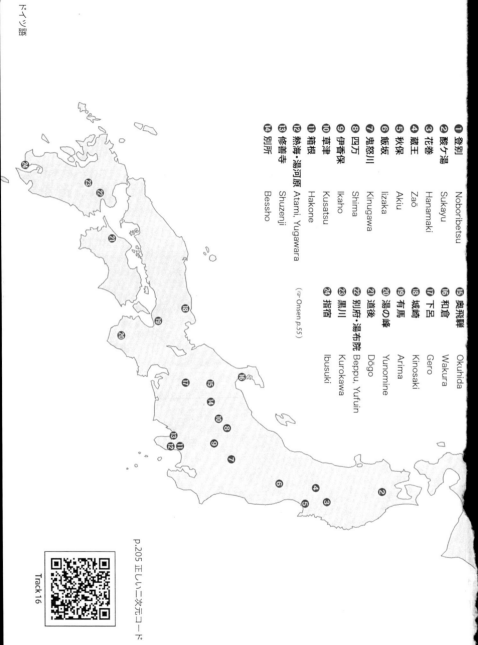

❶ 登別　Noboribetsu
❷ 酸ケ湯　Sukayu
❸ 花巻　Hanamaki
❹ 蔵王　Zaō
❺ 秋保　Akiu
❻ 飯坂　Iizaka
❼ 鬼怒川　Kinugawa
❽ 四万　Shima
❾ 伊香保　Ikaho
❿ 草津　Kusatsu
⓫ 箱根　Hakone
⓬ 熱海・湯河原　Atami, Yugawara
⓭ 修善寺　Shuzenji
⓮ 別所　Bessho

⓯ 奥飛騨　Okuhida
⓰ 和倉　Wakura
⓱ 下呂　Gero
⓲ 城崎　Kinosaki
⓳ 有馬　Arima
⓴ 湯の峰　Yunomine
㉑ 道後　Dōgo
㉒ 別府・湯布院　Beppu, Yufuin
㉓ 黒川　Kurokawa
㉔ 指宿　Ibusuki

(☞ Onsen p.55)

p.205 正しい二次元コード

Track 02

九州　中国　北陸　信越　北海道

四国　近畿　東海　関東　東北

沖縄

Lage

Japan liegt im fernen Osten.

Japan liegt im fernen Osten, am Rande Asiens.

Die Staaten, die am nächsten an Japan liegen, sind Korea, China und Russland.

Japan liegt im fernen Osten, umgeben von Korea, China und Russland.

In Richtung des Japanischen Meeres liegen China, Russland und Korea.

Zwischen anderen Staaten Asiens und Japan liegt das Japanische Meer.

Auf der anderen Seite liegt der Pazifik, der Japan von den USA trennt.

Japan ist eines der Länder des Pazifikraums.

Tokio ist 8.910 km von Berlin entfernt.

Ein Flug von Deutschland nach Tokio dauert etwa 12 Stunden.

In Deutschland gibt es drei Flughäfen, die Direktflüge nach Japan anbieten: der Flughafen Frankfurt, München und Düsseldorf.

日本のサイズ

☐ 日本は国土は狭く、人口は多いです。

☐ 日本は小さな島国です。

☐ 日本は極東に位置する小さな国です。

☐ 日本の国土は、アメリカ、中国、ロシアと比べると狭いです。

☐ 日本の面積はドイツの1.06倍です。

☐ 日本は小さな国で、ドイツより少し大きいです。

☐ 日本の国土はおよそ370,000平方キロです。

☐ 日本の国土は370,000平方キロで、ドイツより少し大きいです。

日本の国力

☐ 日本の面積は小さいですが、経済力は大きいです。

☐ 日本は先進国です。

☐ 日本は小さな島国ですが、世界第3位の経済大国です。

☐ 日本のインフラは高度に発展しています。

☐ 日本の教育システムは充実しています。

☐ 日本の識字率はとても高いです。

日本の治安

☐ 日本は犯罪が少ないことで知られています。

☐ 日本は犯罪が少ないことで知られています。統計によると、日本の犯罪発生率はドイツの10分の1程度です。

Größe

Die Fläche Japans ist klein, die Bevölkerung jedoch groß.

Japan ist ein kleiner Inselstaat.

Japan ist ein kleiner Staat im fernen Osten.

Im Vergleich zur Fläche der USA, Chinas oder Russlands ist Japan klein.

Die Fläche Japans beträgt das 1,06-Fache Deutschlands.

Japan ist ein kleiner Staat, der ein wenig größer als Deutschland ist.

Die Fläche Japans beträgt etwa 370.000 m2.

Die Fläche Japans beträgt etwa 370.000 m2 und liegt damit etwas über der Deutschlands.

Entwicklungsstand

Obwohl Japan recht klein ist, ist die Wirtschaft stark.

Japan ist ein Industriestaat.

Japan ist zwar ein kleiner Inselstaat, verfügt allerdings über die drittgrößte Wirtschaft der Welt.

Die Infrastruktur Japans ist hochentwickelt.

Japan hat ein gutes Bildungssystem.

Die Alphabetisierungsrate Japans ist äußerst hoch.

Kriminalität

Japan ist als Land mit geringer Kriminalität bekannt.

Japan ist als Land mit geringer Kriminalität bekannt. Statistisch gesehen ist die Kriminalität in Japan 10-mal niedriger als in Deutschland.

日本の人口

- [ ] 日本の人口はおよそ1億2千万です。

- [ ] 約1億2千万の人が日本には住んでいます。

- [ ] 日本は人口密度の高い国です。

- [ ] 日本は混み合った国です。

- [ ] 日本は混み合った国です。とくに、東京、大阪に人が集中しています。

- [ ] 日本の人口は1億2千万で、ドイツの約1.5倍です。

- [ ] 日本の人口は1億2千万で、面積はドイツとほぼ同じです。

- [ ] 日本は平地の少ない山がちな国で、そこに1億2千万の人が住んでいます。

日本の地勢

- [ ] 日本は島国です。

- [ ] 日本は島国で、6,800以上の島があります。

- [ ] 日本は主要4島からなる島国です。北から北海道、本州、四国、そして九州です。

- [ ] 日本は島国で、6,800以上の島があります。主な島は北から、北海道、本州、四国、九州です。

- [ ] 日本は南北に長くのびた島国です。

- [ ] 日本は島国で、数えきれないほどの湾や入り江があります。

Bevölkerung

Die japanische Bevölkerung beträgt etwa 120 Millionen.

In Japan leben etwa 120 Millionen Menschen.

Die Bevölkerungsdichte in Japan ist hoch.

In Japan leben sehr viele Menschen.

In Japan leben sehr viele Menschen. Hauptballungsgebiete sind dabei Tokio und Osaka.

Die japanische Bevölkerung beträgt etwa 120 Millionen und damit ungefähr das 1,5-Fache Deutschlands.

Die japanische Bevölkerung beträgt etwa 120 Millionen, bei ungefähr gleicher Fläche wie Deutschland.

In Japan, einem Land mit wenig Ebenen und vielen Bergen, leben etwa 120 Millionen Menschen.

Topografie

Japan ist ein Inselstaat.

Japan ist ein Inselstaat mit über 6.800 Inseln.

Japan ist ein Inselstaat, der aus vier Hauptinseln besteht: Von Norden aus Hokkaido, Honshu, Shikoku und Kyushu.

Japan ist ein Inselstaat mit über 6.800 Inseln. Die Hauptinseln heißen (von Norden aus) Hokkaido, Honshu, Shikoku und Kyushu.

Japan ist ein Inselstaat, der sich länglich von Norden nach Süden ausbreitet.

Japan ist ein Inselstaat mit unzähligen Buchten und Meeresarmen.

☐ 日本の海岸線は、たくさんの湾や入り江で複雑な地形をしています。

☐ 最も大きな島は本州で、東京は本州にあります。

☐ 本州は日本で一番大きな島で、イギリスより少し小さいです。

☐ 日本は山がちな国です。

☐ 日本は平地の少ない山がちな国です。

☐ 日本には多くの火山があります。

☐ 日本列島に山が多いのは、火山活動がとても活発な地域に位置しているからです。

☐ 日本では多くの地震が起きます。

☐ 日本列島には活火山が多いので、ひんぱんに地震が起きます。

☐ 日本の平地は限られています。

☐ 日本は山が多いので、平地はとても限られています。

☐ 日本で一番大きな平野は、関東平野です。

☐ 日本で一番大きな平野は、東京を囲む関東平野です。

☐ 日本で一番大きな平野は関東平野で、テューリンゲン州とほぼ同じ広さです。

☐ 東京を囲む日本で一番大きな平野は関東平野で、テューリンゲン州とほぼ同じ面積です。

Japans Küsten hat eine komplexe Topografie mit vielen Buchten und Meeresarmen.

Die größte Insel ist Honshu, auf der sich auch Tokio befindet.

Honshu ist die größte Insel Japans, die ein wenig kleiner als das Vereinigte Königreich ist.

Japan ist von Bergen gesäumt.

Japan hat wenig Ebenen und ist von Bergen gesäumt.

In Japan gibt es viele Vulkane.

Da die japanische Inselkette eine Region mit hoher vulkanischer Aktivität ist, gibt es viele Berge.

In Japan ereignen sich sehr viele Erdbeben.

Da es auf der japanischen Inselkette viele aktive Vulkane gibt, gibt es viele Erdbeben.

Flache Gebiete gibt es in Japan nur begrenzt.

Da es viele Berge gibt, gibt es in Japan nur begrenzt Ebenen.

Die größte Ebene Japans ist die Kanto-Ebene.

Die größte Ebene Japans ist die Kanto-Ebene, die Tokio umgibt.

Die größte Ebene Japans ist die Kanto-Ebene, die in etwa so groß wie Thüringen ist.

Tokio wird von der größten Ebene Japans, der Kanto-Ebene, umschlossen, die in etwa so groß wie Thüringen ist.

日本の気候

☐ 日本のほぼ全域が温帯に属しています。

☐ 日本の気候は基本的には温暖です。

☐ 日本の気候は基本的には温暖ですが、北と南では大きく異なります。

☐ 日本は南北に細長くのびているので、気候もさまざまです。

☐ 日本の春は快適です。

☐ 日本の春は温暖で快適です。

☐ 日本を訪れるなら春が最適です。

☐ 日本の雨季は梅雨といいます。

☐ 日本には梅雨とよばれる雨季があります。

☐ 日本には梅雨とよばれる雨季があり、
　その期間はじめじめしています。

☐ 梅雨は6月から7月初旬までです。

☐ 梅雨とは雨季のことで、夏の前のその時期、暖かい気流と冷たい気流がぶつかりあい
　います。

☐ 日本の夏は湿度が高いです。

☐ 日本の夏は暑いです。

☐ 日本の夏はじめじめとしています。

☐ 日本の夏は暑くて湿度が高いです。

Klima

Fast ganz Japan liegt in der gemäßigten Zone.

Das Klima Japans ist prinzipiell mild.

Das Klima Japans ist zwar prinzipiell mild, es gibt allerdings große Unterschiede zwischen Nord und Süd.

Da sich Japan länglich von Norden nach Süden ausbreitet, gibt es viele Klimaunterschiede.

Der Frühling in Japan ist angenehm.

Der Frühling in Japan ist schön warm und angenehm.

Die beste Zeit für eine Reise nach Japan ist der Frühling.

Die Regenzeit in Japan wird *Tsuyu* genannt.

In Japan gibt es eine Regenzeit namens *Tsuyu*.

In Japan gibt es eine Regenzeit namens *Tsuyu*, in der es schwül ist.

Die Regenzeit dauert von Juni bis Anfang Juli.

Während der *Tsuyu* genannten Regenzeit treffen vor dem Sommer warme Luft und kalte Luft aufeinander.

Im Sommer in Japan ist die Luftfeuchtigkeit hoch.

Der Sommer Japans ist heiß.

Der japanische Sommer ist schwül.

Im Sommer in Japan sind die Luftfeuchtigkeit und die Temperatur hoch.

□ 日本の夏が暑くて湿度が高いのは、熱帯高気圧が暖かい気流を日本のほうに押し上げるからです。

□ 夏から秋の初めにかけて、台風と呼ばれる熱帯低気圧が日本にやってきます。

□ 日本のほかの地域に比べると、北海道は夏でも涼しいです。

□ 台風はハリケーンのようなもので、毎夏、太平洋から日本に向けてやってきます。

□ 秋は日本を旅するのにちょうどいい季節です。

□ 日本の秋の天候はとても快適です。

□ 晩秋になると北海道は寒くなります。

□ 10月下旬になると北海道には初雪が降ります。

□ 京都の紅葉は11月が見ごろです。

□ 九州の冬は比較的穏やかですが、北海道はとても寒いです。

□ 本州の北西部では、冬になるとかなりの量の雪が降ります。

□ 日本の北部には、かなりの量の雪が降ります。

□ 日本の北部にはかなりの量の雪が降りますが、東部は冷たい風のため、寒くて乾燥しています。

□ 一般的には、日本を旅するなら天候もよいので春と秋が最適です。

□ 日本では春になると、美しい桜を満喫することができます。

□ ヨーロッパや北米と同様、秋になると山や村では鮮やかな紅葉が楽しめます。

Dass im Sommer in Japan die Luftfeuchtigkeit und die Temperatur hoch sind, liegt daran, dass tropische Hochdruckgebiete warme Luft in Richtung Japan drücken.

Von Sommer bis Anfang Herbst ziehen tropische Tiefdruckgebiete, die Taifun genannt werden, über Japan.

Auf Hokkaido ist der Sommer im Vergleich zu anderen Gebieten Japans eher kühl.

Taifune sind wie Tropenstürme, die jeden Sommer vom Pazifik über Japan ziehen.

Der Herbst ist für eine Reise nach Japan ideal.

Der japanische Herbst ist sehr angenehm.

Ab Spätherbst wird es auf Hokkaido sehr kalt.

Der erste Schnee fällt in Hokkaido Ende Oktober.

樹氷

In Kyoto kann man im November rotes Herbstlaub sehen.

Der Winter auf Kyushu ist zwar vergleichsweise mild, doch auf Hokkaido ist er sehr kalt.

Im Nordwesten Honshus schneit es im Winter erheblich.

Im Norden Japans schneit es im Winter erheblich.

Im Norden Japans schneit es im Winter erheblich, während es im Osten aufgrund des kalten Winds kalt und trocken ist.

Im Allgemeinen sind der Frühling und der Herbst wegen des guten Wetters für eine Reise nach Japan zu empfehlen.

Zu Beginn des japanischen Frühlings blühen Kirschbäume in voller Pracht.

Wie in Europa und Nordamerika kann man sich im Herbst in den Bergen und in Dörfern am herrlich bunten Herbstlaub erfreuen.

日本語とは

☐ 日本語がどこからきたのか、正確なことはわかっていません。

☐ 韓国人やアジア北部の人々が似た言葉を話しています。

☐ 日本語は、2千年にわたって小さな島々の中で、孤立してきました。

☐ 中国の漢字は、5世紀から6世紀ごろに日本に伝わりました。

☐ 中国の文字は日本では漢字といい、今日でも日本語を書くのに使われています。

☐ 漢字は、日本語の文章に組み込まれて使われます。

☐ 漢字は、日本語の文章に組み込まれて使われますが、中国語の文法の影響は受けません。

☐ 日本語と中国語はまったく異なる言語です。

☐ 日本語と中国語は、実はまったく異なる言語なのです。

☐ 日本語と中国語は異なる言語なので、中国語の文法に左右されずに漢字を使うことができます。

☐ 日本語と中国語はまったく異なる言語ですが、書き文字として漢字を取り入れました。

☐ 中国本土では簡略化された漢字が使われています。それらの文字は日本の漢字とは異なります。

☐ ひとつの漢字に対して、2種類の読み方があります。

☐ ひとつの漢字に対して、2種類の読み方があります。中国風の読み方を音読み、日本風に変更したものを訓読みと言います。

☐ 漢字は日本で古くから使われてきたため、音読みも現在の中国語の発音とは異なります。

Die japanische Sprache

Es ist nicht exakt bestimmbar, woher die japanische Sprache stammt.

Koreaner und Nordasiaten sprechen ähnliche Sprachen.

Die japanische Sprache ist seit zwei Jahrtausenden auf kleinen Inseln isoliert.

Die chinesischen Schriftzeichen wurden zwischen dem 5. und 6. Jahrhundert von Japan übernommen.

Die aus China stammenden Schriftzeichen, die in Japan *Kanji* heißen, werden auch heute noch für das Schreiben von Japanisch verwendet.

Kanji sind Teil des japanischen Schriftsystems.

Zwar sind *Kanji* Teil des japanischen Schriftsystems, doch die Grammatik des Chinesischen nicht.

Japanisch und Chinesisch sind zwei völlig unterschiedliche Sprachen.

Japanisch und Chinesisch sind eigentlich zwei völlig unterschiedliche Sprachen.

Japanisch und Chinesisch sind zwei völlig unterschiedliche Sprachen. Daher können *Kanji* ohne Rücksicht auf die chinesische Grammatik verwendet werden.

Japanisch und Chinesisch sind zwar zwei völlig unterschiedliche Sprachen, doch die Schriftzeichen wurden übernommen.

Auf dem chinesischen Festland werden vereinfachte Schriftzeichen verwendet. Diese unterscheiden sich von den *Kanji* in Japan.

Jedes *Kanji* hat zwei Lesungen.

Jedes *Kanji* hat zwei Lesungen. Die an das Chinesische angelehnte Lesung heißt *On'yomi*, während die an das Japanische angepasste Lesung *Kun'yomi* heißt.

Da in Japan schon seit Ewigkeiten *Kanji* verwendet werden, unterscheidet sich die *On'yomi* von der modernen Aussprache des Chinesischen.

□ 音読みが1700年以上にわたって日本語のなかで確立されてきたので、中国人も理解することはできません。

□ 漢字のほかに、日本人はカタカナとひらがなを使います。

□ 日本人はカタカナとひらがなという独自の表音文字を考案しました。

□ 9、10世紀頃に、カタカナとひらがなは広まりました。

□ カタカナもひらがなも、漢字をもとにして発達したものです。

□ カタカナもひらがなも、漢字の表記から発達したものです。

伊 ➡ い
呂 ➡ ろ
波 ➡ は
仁 ➡ に

□ ひらがなは毎日の書き文字として使われています。

□ ひらがなは毎日の書き文字に使われ、カタカナは外来語を表すときに使われます。

□ 以前、カタカナは公式の書類などで使われていましたが、今では外来語を表すときに使われています。

□ 日本人は書くときに、漢字、カタカナ、ひらがなを一緒に使います。

□ 日本はその歴史を通して、外国語を受け入れ、（日本風に）変更してきました。

□ 昔は、数え切れないほどの言葉が、中国から輸入され、日本語に組み込まれていきました。

□ 輸入された言葉や表現は、外来語と呼ばれます。

□ 外来語は日本語の文法構造に組み込まれています。

□ 外来語はカタカナで表記され、日本式に発音します。

Da seit der Übernahme der *On'yomi* ins Japanische schon über 1.700 Jahre vergangen sind, können auch Chinesen sie nicht mehr verstehen.

Außer *Kanji* sind auch *Hiragana* und *Katakana* Teil des Schriftsystems.

Die Japaner haben ihr eigene Lautschriften entwickelt, nämlich *Hiragana* und *Katakana*.

Hiragana und *Katakana* entwickelten sich im 9. und 10. Jahrhundert.

Hiragana und *Katakana* sind Lautschriften, die sich von *Kanji* ableiten.

Sowohl *Katakana* als auch *Hiragana* haben sich aus der *Kanji*-Schrift entwickelt.

Hiragana werden täglich als Schriftzeichen verwendet.

Hiragana werden täglich als Schriftzeichen verwendet, während *Katakana* für das Schreiben von Fremd- und Lehnwörtern verwendet werden.

Früher fanden *Katakana* in offiziellen Schriftstücken Verwendung, doch nun werden sie für das Schreiben von Fremd- und Lehnwörtern verwendet.

Wenn Japaner schreiben, nutzen sie sowohl *Kanji*, *Katakana* als auch *Hiragana*.

Im Laufe seiner Geschichte hat Japan immer wieder Fremdsprachen rezipiert und an das Japanische angepasst.

Früher wurden unzählige Wörter aus China übernommen und in das Japanische integriert.

Aus dem Ausland übernommene Wörter und Ausdrücke werden *Gairaigo* genannt.

Auch *Gairaigo* müssen sich an die japanische Grammatik halten.

Gairaigo werden durch *Katakana* zum Ausdruck gebracht und auf japanische Art und Weise ausgesprochen.

知っておきたいドイツのこと❶

ドイツ語由来の言葉が日本でもたくさん定着しています。医療関係だけでなく、アルバイト、ゲレンデ、などの日常よくつかう言葉もあります。

アスピリン	Aspirin	コラーゲン	Kollagen
アドレナリン	Adrenalin	ゼミナール	Seminar
アルバイト	Arbeit	ノイローゼ	Neurose
アレルギー	Allergie	バームクーヘン	Baumkuchen
アンチテーゼ	Antithese	ベクトル	Vektor
エネルギー	Energie	メスシリンダー	Messzylinder
ガーゼ	Gaze	メルヘン	Märchen
カプセル	Kapsel	ヨーグルト	Joghurt
カルテ	Karte	レントゲン	Röntgen
ギプス	Gips	ワクチン	Vakzin
グミ	Gummi	ワッペン	Wappen
ゲレンデ	Gelände		

第 2 章

日本を楽しむ

日本の世界遺産

日本の魅力

日本の今を楽しむ

日本食を楽しむ

世界遺産マップ

日本の世界遺産は25ヵ所で、そのうち5ヵ所（屋久島、白神山地、知床、小笠原諸島、奄美・沖縄）が、自然遺産に登録されています。

奈良
法隆寺地域の仏教建造物
☞ Buddhistische Monumente von Hōryū-ji *p.41*

京都・滋賀
古都京都の文化財
☞ Historische Monumente des altertümlichen Kyoto *p.41*

兵庫
姫路城
☞ Burg Himeji *p.43*

島根
石見銀山遺跡とその文化的景観
☞ Iwami-Ginzan-Silbermine und Kulturlandschaft *p.43*

福岡
「神宿る島」宗像・沖ノ島と関連遺産群
☞ „Heilige Insel" Okinoshima und zugehörige Stätten in der Region Munakata *p.47*

広島
厳島神社
☞ Itsukushima-Schreine *p.43*

広島
原爆ドーム
☞ Friedenspark Hiroshima *p.43*

鹿児島
屋久島
☞ Yakushima *p.43*

大阪
百舌鳥・古市古墳群
☞ Kofun-Gruppe von Mozu-Furuichi: Hügelgräber aus Alt-Japan *p.49*

長崎・熊本
長崎と天草地方の潜伏キリシタン関連遺産群
☞ Verborgene christliche Stätten in der Region Nagasaki *p.47*

奈良
古都奈良の文化財
☞ Nara, ang sinaunang kabisera *p.41*

和歌山・奈良・三重
紀伊山地の霊場と参詣道
☞ Heilige Stätten und Pilgerstraßen in den Kii-Bergen *p.41*

沖縄
琉球王国のグスク及び関連遺産群
☞ Gusuku-Stätten und zugehörige Stätten des Königreichs von Ryukyu *p.45*

鹿児島・沖縄
奄美大島、徳之島、沖縄北部及び西表島
☞ Die Inseln Amami-Oshima, Tokunoshima, Iriomote und nördlicher Teil der Insel Okinawa *p.49*

北海道・青森・岩手・秋田
北海道・北東北の縄文遺跡群
☞ Prähistorische Stätten der Jōmon in Nordjapan *p.49*

北海道
知床
☞ Shiretoko *p.39*

岐阜・富山
白川郷・五箇山の合掌造り集落
☞ Historische Dörfer von Shirakawa-gō und Gokayama *p.41*

青森・秋田
白神山地
☞ Shirakami-Sanchi *p.39*

岩手
平泉―仏国土（浄土）を表す建築・庭園及び考古学的遺跡群
☞ Hiraizumi – Tempel, Gärten und archäologische Stätten des Reinen-Land-Buddhismus *p.45*

栃木
日光の社寺
☞ Schreine und Tempel von Nikko *p.39*

群馬
富岡製糸場と絹産業遺産群
☞ Seidenspinnerei Tomioka und zugehörige Stätten *p.47*

東京
ル・コルビュジエの建築作品―近代建築運動への顕著な貢献
☞ Das architektonische Werk von Le Corbusier – ein herausragender Beitrag zur Moderne *p.47*

静岡・山梨
富士山―信仰の対象と芸術の源泉
☞ Fuji: heiliger Ort und Quelle künstlerischer Inspiration *p.45*

東京
小笠原諸島
☞ Ogasawara-Inseln *p.45*

福岡・佐賀・長崎・熊本・鹿児島・山口・岩手・静岡
明治日本の産業革命遺産―製鉄・製鋼，造船，石炭産業
☞ Stätten Japans industrieller Revolution der Meiji-Zeit: Eisen und Stahl, Schiffbau und Kohlebergbau *p.47*

日本の世界遺産

日本の世界遺産の登録数は、25件で世界11位です。一方、ドイツは世界3位で、文化遺産が48件と自然遺産が3件、計51件の世界遺産があります。

概要

☐ 日本にはユネスコの世界遺産が25カ所あります。自然遺産が5カ所で、文化遺産が20カ所です。

知床

☐ 知床半島では、素晴らしい自然と野生生物を見ることができます。

☐ 知床半島はその美しい自然と野生生物が認められ、世界遺産に認定されています。

白神山地

☐ 青森と秋田の境に白神山地はあり、野生ブナ林と山が世界遺産に認定されています。

☐ 白神山地は、貴重なブナ林で覆われた山と自然で、ユネスコの世界遺産に認定されています。

日光の社寺

☐ 日光には山、湖、有名な社寺があり、よく知られた国立公園で世界遺産にも指定されています。

☐ 日光は栃木県にあり、徳川幕府の初代将軍である徳川家康の建立した東照宮のほかに、その自然の豊かさでも有名です。

Übersicht

In Japan gibt es 25 UNESCO-Welterbestätten. 5 davon sind Weltnaturerbe, 20 Weltkulturerbe.

Shiretoko

Auf der Halbinsel Shiretoko gibt es herrliche Flora und Fauna zu bewundern.

Die schöne Flora und Fauna der Halbinsel Shiretoko wurde als Welterbestätte anerkannt.

Shirakami-Sanchi

Auf der Grenze zwischen Aomori und Akita liegt das Bergland Shirakami-Sanchi, das wegen seiner unberührten Berge voller Kerb-Buchen als Welterbestätte anerkannt wurde.

Die Berge von Shirakami-Sanchi, die mit prächtigen Kerb-Buchen bedeckt sind, und die dortige Natur wurden von der UNESCO als Welterbestätte anerkannt.

Schreine und Tempel von Nikko

Die Berge, Seen, berühmten Schreine und Tempel sowie der bekannte Nationalpark sind zusammen als Welterbestätte anerkannt.

Nikko liegt in der Präfektur Tochigi und ist nicht nur dafür bekannt, dass hier der erste *Shōgun* des Tokugawa-*Shōgunats*, Ieyasu Tokugawa, den Tōshō-gū errichten ließ, sondern auch eine üppige Natur bietet.

白川郷と五箇山

☐ 白川郷と五箇山に点在する家は、急勾配の茅葺き屋根で有名で、世界遺産に指定されています。

☐ 白川郷や五箇山周辺には、急勾配の屋根の集落が点在しています。

熊野古道

☐ 紀伊半島にある熊野古道は、古くからの巡礼の道で、ユネスコ世界遺産に登録されています。

☐ 熊野古道は、紀伊半島の深い森や谷に点在する隠れた社寺と伊勢神宮を結んでいます。

古都京都

☐ 寺、神社、古民家、そして昔ながらの雰囲気が残る京都は、世界でも最も有名な世界遺産です。

☐ 京都はかつての日本の首都というだけではありません。伝統工芸や儀式の中心地でもあるのです。

古都奈良

☐ 奈良とその周辺には古代からの寺が残っており、ユネスコの世界遺産に登録されています。

☐ 奈良は、古代シルクロードの終点であることから、世界遺産に登録されています。

☐ 奈良周辺には、インド、中国、さらには古代西洋人の影響を受けて1000年以上前にできた村が点在しています。

法隆寺

☐ 法隆寺周辺は、ユネスコの世界遺産に登録されています。法隆寺が大陸の影響を受けた世界最古の木造建築だからです。

Shirakawa-gō und Gokayama

Die Häuser rund um Shirakawa-gō und Gokayama sind für ihre steil aufragenden Strohdächer berühmt und sind als Welterbestätte anerkannt.

Shirakawa-gō und Gokayama sowie die Umgebung sind voller Dörfer mit steilen Dachkonstruktionen.

Kumano-kodō

Kumano-kodō auf der Kii-Halbinsel sind uralte Pilgerwege, die von der UNESCO als Welterbestätte anerkannt wurden.

Die Kumano-kodō auf der Kii-Halbinsel verbinden die in den tiefen Wäldern und Tälern versteckten Schreine und Tempel mit dem Ise-jingū.

Alte Hauptstadt Kyoto

Die Tempel, Shintō-Schreine, alten traditionellen japanischen Häuser und die klassische Atmosphäre, die sich Kyoto bewahrt hat, sind eine global bekannte Welterbestätte.

Kyoto ist nicht bloß die alte Hauptstadt Japans. Es ist auch ein Zentrum für traditionelle Handwerkskünste und Riten.

Alte Hauptstadt Nara

Die seit der Antike erhaltenen Tempel in Nara und der Umgebung wurden von der UNESCO als Welterbestätte anerkannt.

Da Nara der Endpunkt der antiken Seidenstraße war, wurde die Stadt als Welterbestätte anerkannt.

Die Gegend um Nara ist mit Dörfern übersät, die vor mehr als 1.000 Jahren gegründet wurden und von Indern, Chinesen und sogar Menschen aus dem antiken Westen beeinflusst wurden.

Hōryū-ji

Die Gegend um den Tempel Hōryū-ji wurde von der UNESCO zur Welterbestätte ernannt. Denn der Hōryū-ji enthält Einflüsse aus dem asiatischen Festland und ist das älteste Holzbauwerk der Welt.

41

☐ 法隆寺とその周辺を斑鳩（いかるが）と呼び、ここは7世紀初頭、聖徳太子が日本を治めた地でもあります。

姫路城

☐ 姫路城はその美しいたたずまいで知られ、世界遺産となっています。

☐ 姫路城は17世紀に築城され、その美しさと優雅な姿から、白鷺城（しらさぎじょう）とも呼ばれます。

広島平和記念公園

☐ 平和記念公園は、原爆が落とされた広島の中心部にあり、世界遺産になっています。

☐ 平和記念公園には、原爆ドームとよばれる原爆被害を受けた建物と、原爆資料を展示したミュージアムがあります。

石見銀山

☐ 石見銀山とその周辺は、2007年に世界遺産に登録されました。

☐ 石見銀山は、開発された16世紀当時、世界最大の銀山でした。鉱山だけでなく、周囲の町や建物などもよく保存されています。

厳島神社

☐ 12世紀にできた厳島神社は、神道で神聖な場所とされる宮島の海辺に建立されました。

☐ 広島の西に位置する厳島神社は、1996年に世界遺産に登録されました。

屋久島

☐ 屋久島は、鹿児島県沖の南西諸島の一部です。自生のスギや険しい山などが、1993年に世界遺産に登録されました。

Der Hōryū-ji und seine Umgebung werden Ikaruga genannt. Hier regierte Anfang des 7. Jahrhunderts Taishi Shōtoku Japan.

Burg Himeji

Die Burg Himeji (*Himeji-jō*) ist für ihre entzückende Form bekannt und ist Welterbestätte.

Die Burg Himeji wurde im 17. Jahrhundert errichtet und wird wegen ihrer eleganten Erscheinung auch Shirasagi-jō („Burg Silberreiher") genannt.

Friedenspark Hiroshima

Der Friedenspark im Zentrum von Hiroshima, auf das die Atombombe abgeworfen wurde, ist Welterbestätte.

Der Friedenspark beherbergt die Atombomben-Kuppel, ein durch die Atombombenexplosion beschädigtes Gebäude, das heute ein Museum ist, das Exponate zur Atombombe ausstellt.

Silberbergwerk Iwami

Das Silberbergwerk Iwami (*Iwami Ginzan*) wurde 2007 zur Welterbestätte ernannt.

Das Silberbergwerk Iwami war zu ihrer Eröffnung im 16. Jahrhundert das weltgrößte Silberbergwerk. Nicht nur das Bergwerk selbst, sondern auch die umliegenden Städte und Gebäude sind erstaunlich gut erhalten.

Itsukushima-Schrein

Der im 12. Jahrhundert fertiggestellte Itsukushima-Schrein wurde auf dem Strand der Insel Miyajima errichtet, einem heiligen Ort des Shintō.

Der westlich von Hiroshima gelegene Itsukushima-Schrein wurde 1996 zur Welterbestätte ernannt.

Yakushima

Yakushima ist eine Insel der Nansei-Inseln in der Präfektur Kagoshima. Die wild wachsenden Zedern und die schroffen Berge wurden 1993 zur Welterbestätte ernannt.

☐ 屋久島は、貴重な森林、野生生物、山などあらゆるものが小さな島に集中しているという点で、他にはない場所です。

琉球王国のグスク

☐ グスクとは沖縄の島々に点在する琉球王国時代の城や遺跡で、中国の影響のある見事な建築物です。2000年に世界遺産となりました。

☐ 復元された首里城では、かつての独立王朝時代の雰囲気を味わうことができましたが、2019年の火災によって焼失してしまいました。

平泉

☐ 平泉とその周辺地域は、古代の仏教寺院によって2011年に世界遺産に登録されました。

☐ 平泉は岩手県に位置しています。この町は、平安時代末期、東北地方の中心地として栄えました。中尊寺は9世紀に建てられ、今でも当時の荘厳さを残しています。

小笠原諸島

☐ 小笠原諸島は東京の南、約1000kmに点在します。小笠原諸島は独自の自然が残り、太平洋と日本の文化が混在することで知られています。2011年に世界遺産に登録されました。

☐ 小笠原諸島は、東京の南の太平洋上に位置しています。その中のひとつ、硫黄島は、太平洋戦争の時、激しい戦場となったことで知られています。

富士山

☐ 富士山は、日本で17番目の世界遺産です。

☐ 富士山は自然だけでなく、信仰や芸術を生み出した山としても価値が認められました。

Dass sich auf Yakushima prächtige Wälder, wild lebende Tiere, wild wachsende Pflanzen, Berge und mehr auf nur einer einzigen Insel vereinen, gibt es sonst nirgendwo.

Gusuku des Königreichs Ryukyu

Gusuku sind auf den Inseln Okinawas verstreute Burgen und historische Stätten des Königreichs Ryukyu. Diese Bauwerke, die auch Einflüsse auch China enthalten, sind schön anzusehen. Im Jahr 2000 wurden sie zur Welterbestätte ernannt.

Die Burg Shuri, in der man die Atmosphäre des ehemals unabhängigen Königreichs zur Nara- und Heian-Zeit spüren kann, wurde zwar restauriert, doch bei einem Brand im Jahre 2019 zerstört.

Hiraizumi

Das Dorf Hiraizumi und seine Umgebung wurden wegen der antiken buddhistischen Tempel 2011 zur Welterbestätte ernannt.

Hiraizumi liegt in der Präfektur Iwate. Als Zentrum von Tohoku florierte das Dorf gegen Ende der Heian-Zeit (794–1185). Der Tempel Chūson-ji wurde im 9. Jahrhundert erbaut und ist auch heute noch so prächtig wie früher.

Ogasawara-Inseln

Die Ogasawara-Inseln liegen etwa 1.000 km südlich von Tokio. Die Ogasawara-Inseln sind dafür bekannt, dass sie sich ihre einzigartige Natur erhalten haben und dass hier sowohl pazifische als auch japanische Kultur zu finden ist. Sie wurden 2011 zur Welterbestätte ernannt.

Die Ogasawara-Inseln liegen im Pazifik, südlich von Tokio. Eine der bekannteren Inseln dürfte Iwojima sein, auf der es im Pazifikkrieg zu heftigen Gefechten gekommen ist.

Fuji

Der Fuji (teilweise auch Fujiyama) ist die 17. Welterbestätte in Japan.

Der Fuji wird nicht nur wegen seiner natürlichen Schönheit, sondern auch wegen seiner Bedeutung für Glauben und Kunst geschätzt.

日本の世界遺産 … 屋久島／琉球王国のグスク／平泉／小笠原諸島／富士山

富岡製糸場

☐ 富岡製糸場は、日本初の本格的な機械製糸の工場です。

☐ 富岡製糸場は、1872年の開業当時の様子がよく保存されています。

明治日本の産業革命遺産

☐ 幕末から明治にかけて日本が急速な産業化を成し遂げたことを示す遺産群です。遺産は8つの県に点在しています。

☐ 製鉄・製鋼業、造船業、石炭産業は日本の基幹産業です。

ル・コルビュジエの建築作品

☐ ル・コルビュジエはパリを拠点に活躍した建築家です。日本からは国立西洋美術館の建築が世界遺産に登録されました。

☐ 国立西洋美術館は東京の上野公園にあり、西洋美術を専門とする日本で唯一の国立美術館です。

宗像・沖ノ島と関連遺産

☐ 福岡県にある沖ノ島や関連する史跡群は、自然崇拝を現代まで継承している点が評価されて、世界遺産になりました。

☐ 沖ノ島は、島そのものが神として崇拝されているため、特別な許可がない限り上陸することはできません。

長崎周辺の潜伏キリシタン関連遺産

☐ 長崎県と熊本県の天草地方には「潜伏キリシタン」の遺産が多く残っています。

☐ 「潜伏キリシタン」とは、かつて禁止されていたキリスト教の信仰を密かに守り続けた人々のことです。

Seidenspinnerei Tomioka

Die Seidenspinnerei Tomioka war die erste bedeutende Fabrik für maschinell hergestelltes Garn in Japan.

Das ursprüngliche Aussehen der Seidenspinnerei Tomioka aus dem Jahr 1872 ist gut erhalten.

Stätten Japans industrieller Revolution der Meiji-Zeit

Diese Welterbestätten veranschaulichen die rasante Entwicklung der Produktionsmethoden in Japan vom Ende des Tokugawa-*Shōgunats* über die Meiji-Zeit hinweg. Es gibt Stätten in acht Präfekturen.

Die Eisen- und Stahlindustrie, der Schiffbau und die Kohleindustrie sind Schlüsselindustrien in Japan.

Das architektonische Werk von Le Corbusier

Le Corbusier war ein Architekt mit Sitz in Paris. Als Teil seines Werks wurde das in Japan befindliche Nationalmuseum für westliche Kunst zur Welterbestätte ernannt.

Das Nationalmuseum für westliche Kunst steht im Ueno-Park in Tokio und ist das einzige Nationalmuseum in Japan, das westlicher Kunst gewidmet ist.

„Heilige Insel" Okinoshima und zugehörige Stätten in der Region Munakata

Die Insel Okinoshima in der Präfektur Fukuoka und mehrere mit der Insel in Verbindung stehende historische Stätten wurden zur Welterbestätte ernannt, um die bis zur Gegenwart praktizierte Naturverehrung zu würdigen.

Da die Insel Okinoshima an sich als Gottheit verehrt wird, darf man sie ohne Erlaubnis nicht betreten.

Verborgene christliche Stätten in der Region Nagasaki

In der Region Amakusa, die sich in den Präfekturen Nagasaki und Kumamoto befindet, gibt es eine große Anzahl von Stätten „verborgener Christen", die in Japan *Kakure Kirishitan* genannt werden.

Bei den verborgenen Christen handelt es sich um Christen, die trotz des einstigen Verbots des Christentums ihre Religion im Geheimen weiterhin praktizierten.

百舌鳥・古市古墳群

☐ 大阪府にある大小さまざまな形をした49基の古墳は、2019年に世界遺産に登録されました。

☐ 古墳とは、日本の古代につくられたお墓のことで、埋葬された人の身分によってその大きさや形が異なります。

奄美・沖縄

☐ 鹿児島県の奄美大島と徳之島、沖縄県の沖縄本島の北部と西表島の4島が世界遺産に登録されました。

☐ 多様な生物の生息地として評価された4つの島には、絶滅危惧種に指定されている生物もいます。

北海道・北東北の縄文遺跡群

☐ 北海道、青森、岩手、秋田にある縄文時代の遺跡群が2021年に世界遺産に登録されました。

☐ これらの遺跡は縄文時代の集落で、狩りや漁、植物の採集によって生活していた当時の人々の生活と精神文化を示しています。

青森県の三内丸山遺跡

Kofun-Gruppe von Mozu-Furuichi

49 Hügelgräber in allen Formen und Größen, die sich in der „Präfektur" Osaka befinden, wurden 2019 zur Welterbestätte ernannt.

Diese Hügelgräber (*Kofun*) sind Gräber des antiken Japans, deren Größe und Form sich nach dem sozialen Rang der begrabenen Person richteten.

Die Inseln Amami-Oshima und der Insel Okinawa

Es wurden vier Inseln zur Welterbestätte ernannt: aus der Präfektur Kagoshima die Inseln Amami-Oshima und Tokunoshima sowie aus der Präfektur Okinawa der nördliche Teil der Okinawa-Hauptinsel und die Insel Iriomote.

Dies geschah, um die Artenvielfalt der vier Inseln zu würdigen, auf denen auch einige vom Aussterben bedrohten Tiere leben.

Prähistorische Stätten der Jōmon in Nordjapan

Eine Gruppe archäologischer Stätten aus der Jōmon-Zeit auf Hokkaido, in Aomori, Iwate und Akita wurden 2021 zur Welterbestätte ernannt.

Diese archäologischen Stätten sind Siedlungen aus der Jōmon-Zeit (14.000 bis 300 v. Chr.), die einen Einblick in den Alltag und die Spiritualität der damaligen Menschen geben, die von der Jagd, dem Fischfang und dem Sammeln von Pflanzen lebten.

日本の温泉と旅館

Japanische *Onsen* und *Ryokan*

主な温泉地

❶ 登別　　　　Noboribetsu
❷ 酸ケ湯　　　Sukayu
❸ 花巻　　　　Hanamaki
❹ 蔵王　　　　Zaō
❺ 秋保　　　　Akiho
❻ 飯坂　　　　Iizaka
❼ 鬼怒川　　　Kinugawa
❽ 四万　　　　Shima
❾ 伊香保　　　Ikaho
❿ 草津　　　　Kusatsu
⓫ 熱海・湯河原　Atami, Yugawara
⓬ 修善寺　　　Shuzenji
⓭ 箱根　　　　Hakone
⓮ 奥飛騨　　　Okuhida

⓯ 別所　　　　Bessho
⓰ 和倉　　　　Wakura
⓱ 下呂　　　　Gero
⓲ 城崎　　　　Kinosaki
⓳ 有馬　　　　Arima
⓴ 湯の峰　　　Yunomine
㉑ 道後　　　　Dōgo
㉒ 別府・湯布院　Beppu, Yufuin
㉓ 黒川　　　　Kurokawa
㉔ 指宿　　　　Ibusuki

(☞ Onsen p.55)

Furo – ZBad
風呂
（＊大浴場なら : großes Badehaus）

Ryokan
– eine traditionelle japanische Übernachtungsmöglichkeit
旅館

(☞ Ryokan p.57)

Personal im *Ryokan*
旅館のスタッフ

Banto – hilft der Gastwirtin
番頭

Ryōrinin
– Koch bzw. Köchin
料理人

Okami – Gastwirtin
女将

Nakai-gashira –
Oberkellner(in)
仲居頭

Nakai – Kellner(in),
serviert auf dem Zimmer
仲居

Heya – Zimmer
部屋

Shokuji – Mahlzeit
食事
(＊夕食なら：Abendessen)

51

日本の家屋

(☞ Traditionelle japanische Gebäude *p.59*)

Japanische Häuser

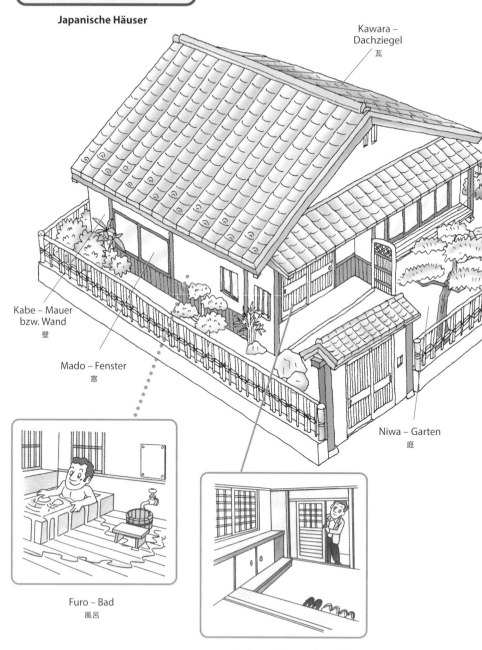

Kawara –
Dachziegel
瓦

Kabe – Mauer
bzw. Wand
壁

Mado – Fenster
窓

Niwa – Garten
庭

Furo – Bad
風呂

Genkan – Eingangsbereich
玄関

Oshiire – Wandschrank mit Schiebetür
押入れ

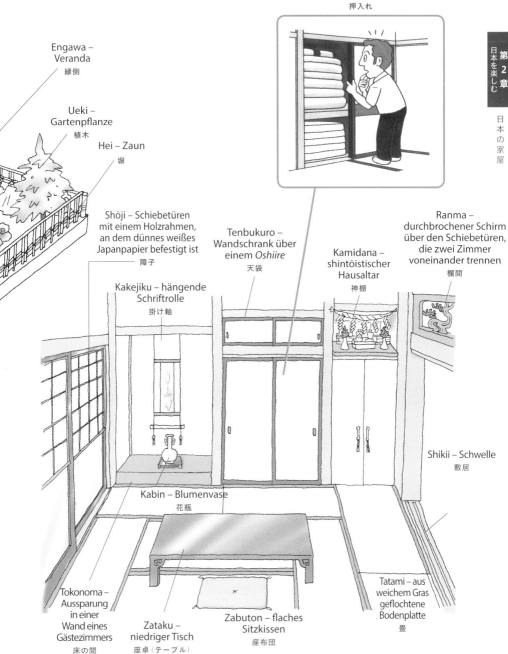

Engawa – Veranda
縁側

Ueki – Gartenpflanze
植木

Hei – Zaun
塀

Shōji – Schiebetüren mit einem Holzrahmen, an dem dünnes weißes Japanpapier befestigt ist
障子

Kakejiku – hängende Schriftrolle
掛け軸

Tenbukuro – Wandschrank über einem *Oshiire*
天袋

Kamidana – shintöistischer Hausaltar
神棚

Ranma – durchbrochener Schirm über den Schiebetüren, die zwei Zimmer voneinander trennen
欄間

Kabin – Blumenvase
花瓶

Shikii – Schwelle
敷居

Tokonoma – Aussparung in einer Wand eines Gästezimmers
床の間

Zataku – niedriger Tisch
座卓（テーブル）

Zabuton – flaches Sitzkissen
座布団

Tatami – aus weichem Gras geflochtene Bodenplatte
畳

日本の魅力

日本では全国至るところに温泉があります。温泉宿は、部屋、食事、庭など、日本らしさが満載です。

温泉

☐ 日本人は温泉が大好きです。

☐ 日本は火山列島なので、至る所に温泉があります。

☐ 日本人は、全国各地の温泉を楽しみます。

☐ 温泉は日本では至る所にあります。

☐ 温泉は日本では至る所にあります。温泉は山間の渓谷だけでなく、海岸沿いにもあります。

☐ 温泉保養地を訪れると、日本の都市部にはない落ち着いた地域色を感じるでしょう。

☐ 温泉は健康維持のために日本人に楽しまれています。というのも、温泉には地域によって様々な種類のミネラルが含まれているからです。

☐ 温泉は旅館の中にもあります。すなわち、旅館で温泉に入浴できるのです。

☐ 体を癒すために長期にわたって温泉地に滞在する人もいます。

☐ 湯治とは、病気を治すために長期間温泉に滞在することです。

☐ 東京のような都市では、銭湯という公衆浴場があります。

南紀勝浦の温泉風景

54

湯布院の露天風呂

Onsen

Japaner mögen Thermen (*Onsen*) sehr gerne.

Da eine Kette aus Vulkanen Japan durchzieht, gibt es überall *Onsen*.

Japaner schätzen die verschiedenen *Onsen* jeder Region in Japan.

In Japan gibt es überall *Onsen*.

In Japan gibt es überall *Onsen*. Und zwar nicht nur in den Bergen und Tälern, sondern auch an der Küste.

Wer einen *Onsen*-Kurort besucht, kann eine Ruhe verspüren und sich an regionalen Genüssen erfreuen, die die Großstädte wohl kaum zu bieten haben.

Japaner nutzen *Onsen* zur Entspannung und zur Förderung der Gesundheit, denn in jedem *Onsen* sind je nach Region andere Mineralien enthalten.

Onsen lassen sich in einem *Ryokan* finden. Genauer gesagt liegt der Zugang zum *Onsen* im *Ryokan*.

Manche halten sich auch länger in Gebieten mit *Onsen* auf, wovon sie sich eine heilende Wirkung versprechen.

Es gibt Badekuren, bei denen man sich zur Heilung einer Krankheit längere Zeit in *Onsen* aufhält.

In Großstädten wie Tokio gibt es öffentliche Badehäuser, die *Sentō* genannt werden.

旅館

☐ 旅館は伝統的な日本の宿泊所です。

☐ 旅館には伝統的な部屋があり、日本のスタイルでくつろぐことができます。

☐ 多くの旅館では、夕食と朝食は（宿泊費に）含まれています。

☐ 一般的に、旅館では伝統的な日本食が振る舞われます。

☐ 旅館の中には、伝統的な和風建築で建てられたものや、日本庭園があるものもあります。

☐ 多くの旅館には温泉があります。

☐ 午後、旅館にチェックインしたら、温泉に入ったり散策してから、酒やビールで夕食を楽しむことができます。

☐ ほとんどの場合、旅館では伝統的な日本の寝具である布団で寝ます。

☐ 布団は旅館の従業員が部屋に敷きます。

☐ 夕食後にまた温泉に入って1日を終えます。部屋を出ている間に、布団を敷いてくれます。

☐ ほとんどの旅館では、朝食前に布団を片付けます。

☐ 旅館のチェックアウト時間は概して、普通のホテルよりも早いです。

☐ 主要都市の観光地には、英語の通じる旅館がいくつかあります。

☐「素泊まり」とは、食事をつけずに旅館に泊まることです。

Ryokan

Ein *Ryokan* ist eine traditionelle japanische Übernachtungsmöglichkeit.

In *Ryokan* gibt es traditionell eingerichtete Zimmer, in denen man auf klassische japanische Art entspannen kann.

In vielen *Ryokan* sind Frühstück und Abendessen im Preis inbegriffen.

In der Regel wird in *Ryokan* traditionelles japanisches Essen gereicht.

Manche *Ryokan* sind im traditionellen Japanischen Stil gebaut und haben einen japanischen Garten.

Viele *Ryokan* bieten einen *Onsen*.

Nach ein Einchecken am Nachmittag kann man im *Onsen* baden und spazieren gehen, bevor man danach beim Abendessen mit alkoholischen Getränken den Abend genießt.

In den allermeisten *Ryokan* schläft man auf traditionellem japanischen Bettzeug, dem *Futon*.

Das *Futon* wird vom Personal des *Ryokans* im Zimmer ausgebreitet.

Nach dem Abendessen kann man noch einmal bei einem Bad im *Onsen* den Tag ausklingen lassen. Verlässt man sein Zimmer, bereitet das Person den *Futon* vor.

In den meisten *Ryokan* wird das *Futon* vor dem Frühstück weggeräumt.

Aus einem *Ryokan* checkt man früher als aus normalen Hotels aus.

In touristisch gut erschlossenen Gebieten gibt es einige *Ryokan*, in denen Englisch gesprochen wird.

Sudomari bedeutet, dass man im *Ryokan* nur übernachtet, aber nicht isst.

日本家屋

☐ 伝統的な日本家屋は木造です。

☐ 伝統的な日本家屋は、あらゆる箇所を熟練した大工が施工します。

☐ 伝統的な家屋を維持するのはとても費用がかかります。

☐ もし日本で本格的な日本式の家屋を体験したければ、寺を訪れるか旅館という宿泊施設を利用してください。

☐ 京都には町屋という伝統的な日本の商家が多くあります。

畳

☐ 伝統的な日本間の床は畳が敷かれています。

☐ 畳は柔らかいイ草を織ってつくられます。

☐ 畳は日本独特のもので、柔らかいイ草を織ってつくられています。

☐ 畳は暑くて湿気の多い夏に適しています。というのも、織ったイ草は通気がよく、肌触りが涼しいからです。

☐ 畳は家の底部を断熱し、保温するので冬にも適しています。

瓦

☐ 伝統的な日本家屋の屋根は瓦で覆われています。

☐ 瓦は寺院建築に伴って、中国から伝来しました。

☐ 古い日本家屋は古民家と呼ばれ、非常に数が少なく貴重なものです。

Japanische Gebäude

Traditionelle japanische Gebäude sind aus Holz.

Für den Bau von traditionellen japanischen Gebäuden werden in allen Bereichen erfahrene Zimmerleute benötigt.

Die Instandhaltung traditioneller japanischer Gebäude ist ziemlich kostspielig.

Wenn man ein waschechtes japanisches Gebäude mit eigenen Augen sehen möchten, empfiehlt sich ein Besuch eines Tempels oder die Übernachtung in einem *Ryokan*.

In Kyoto gibt es viele traditionelle Kaufmannshäuser, die *Machiya* genannt werden.

Tatami

In traditionellen japanischen Zimmern ist der Boden mit *Tatami* ausgelegt.

Tatami werden aus weichem Gras geflochten.

Tatami, die eine japanische Besonderheit sind, werden aus weichem Gras geflochten.

Tatami sind an den heiß-schwülen Sommer angepasst. Das liegt daran, dass das geflochtene Gras sehr luftdurchlässig ist und sich kühl anfühlt.

Tatami eignen sich allerdings auch gut für den Winter, da sie das Fundament des Hauses isolieren und so die Wärme erhalten bleibt.

Kawara

Das Dach traditioneller japanischer Gebäude wird mit Ziegeln gedeckt, die *Kawara* heißen.

Mit dem Wissen über den Bau von Tempeln kamen auch die *Kawara* aus China nach Japan.

Alte japanische Gebäude werden *Kominka* genannt und sind aufgrund ihrer Seltenheit etwas Besonderes.

襖

□ 伝統的な日本間には襖というスライド式のドアがあります。

□ 襖とはスライドするドアのことです。

□ 襖は和紙という伝統的な日本の紙で覆われています。

押し入れ

□ 多くの日本間には押し入れという収納スペースがあり、襖で仕切られています。

□ 押し入れとは、寝具などを収納するスペースで、襖で仕切られています。

障子

□ 障子は伝統的な日本家屋で使われ、部屋と廊下を仕切るものです。

□ 障子とは、木の枠に薄くて白い和紙を貼ったスライド式のドアのことです。

床の間

□ 床の間とは客間にある小さなスペースのことです。

□ 床の間とは客間の壁に特別に設えられた小さなスペースのことで、掛け軸の前に生け花を飾ったりします。

□ 床の間とは茶道が行われる部屋にある小さなスペースのことです。

Fusuma

Traditionelle japanische Zimmer haben Schiebetüren, die *Fusuma* genannt werden.

Fusuma sind Schiebetüren.

Fusuma sind mit traditionellem japanischen Papier bedeckt, das *Washi* heißt.

Oshiire

In vielen japanischen Zimmern gibt es Wandschränke, die *Oshiire* genannt werden und mit einem *Fusuma* geschlossen werden.

Oshiire ist ein Wandschrank, in dem Bettzeug verstaut wird. Als Tür dient ein *Fusuma*.

Shōji

Shōji werden in traditionellen japanischen Gebäuden zur Abtrennung von Räumen und vom Flur verwendet.

Shōji sind Schiebetüren mit einem Holzrahmen, an dem dünnes weißes Japanpapier befestigt ist.

Tokonoma

Ein *Tokonoma* ist einer kleiner Freiraum in Gästezimmern.

Ein *Tokonoma* ist eine besondere kleine Aussparung in einer Wand eines Gästezimmers. Vor einer hängenden Schriftrolle wird ein japanisches Blumengesteck (*Ikebana*) angerichtet.

Ein *Tokonoma* ist einer kleiner Freiraum in Zimmern, in denen Teezeremonien abgehalten werden.

茶の間

☐ 茶の間とは家族が集まる部屋です。

☐ 茶の間には小さな神社を模した神棚が祀られていることがあります。

☐ 囲炉裏のある茶の間もあります。その炉は調理にも使われます。

☐ 囲炉裏とは和室に設えられた炉で、木や炭を燃やして暖をとったり、調理するのに使います。

神棚

仏間・仏壇

日本の家庭の典型的な仏壇

☐ 仏間とは仏教のしきたりに則って祖先に手を合わせる部屋のことです。

☐ 多くの伝統的な家屋には仏間があり、そこには仏壇が置かれています。

☐ 仏壇とは、伝統的な祭壇のことで、祖先の魂が祀られます。

今の日本家屋

☐ 現代の日本家屋の伝統的な日本間は和室と呼ばれます。

☐ 現代の日本家屋の伝統的な日本間は和室と呼ばれ、西洋式の部屋は洋室と呼ばれます。

☐ 現代の日本の家は、ほとんどが洋室で、伝統的な和室が1 ～ 2部屋あります。

日本庭園

☐ 日本風の庭は日本庭園と呼ばれます。

Chanoma

Das *Chanoma* ist ein Zimmer, in dem sich die Familie versammelt.

Im *Chanoma* wird ein Hausschrein angebetet, der einem kleinen Shintō-Schrein nachempfunden ist.

Es gibt auch *Chanoma*, in denen eine abgesenkte Feuerstelle (*Irori*) zu finden ist. Diese wird unter anderem zur Zubereitung von Mahlzeiten benutzt.

Irori sind eine Feuerstelle in japanischen Zimmern, in denen Holz oder Holzkohle verbrannt wird und die zum Heizen oder Kochen verwendet werden.

Butsuma und Butsudan

Ein *Butsuma* ist ein japanischer Raum, in dem nach buddhistischem Glauben die Ahnen angebetet werden.

In vielen traditionellen japanischen Häusern gibt es ein *Butsuma*, in denen ein *Butsudan* aufgestellt ist.

Das *Butsudan* ist ein traditioneller Altar, in dem die Seelen der Ahnen enthalten sind und verehrt werden.

Moderne japanische Häuser

In modernen japanischen Häusern werden die traditionellen japanischen Zimmer *Washitsu* genannt.

In modernen japanischen Häusern werden die traditionellen japanischen Zimmer *Washitsu* genannt. Die nach westlicher Art eingerichteten Zimmer werden *Yōshitsu* genannt.

Der Großteil der Zimmer moderner japanischer Häuser sind westlicher Art, wobei es ein bis zwei traditionelle japanische Zimmer gibt.

Japanische Gärten

Gärten im japanischen Stil werden *Nihon-Tei-en* genannt.

- [ ] 日本の多くの寺、旅館、伝統的な家屋には日本庭園があります。

- [ ] 多くの日本庭園には池泉（ちせん）という池があります。

- [ ] 苔と木で覆われた岩や池を配置することは、日本庭園の重要な要素です。

- [ ] 魅力的な日本庭園をつくるためには、形のいい岩や木が必要です。

- [ ] 伝統的な日本庭園には池泉という池があり、そこには鯉がいます。

- [ ] 錦鯉とは大切に育てられた鯉で、色が美しいことで知られています。

- [ ] 錦鯉は伝統的な日本庭園の池によくいます。

- [ ] 枯山水とは、池のない伝統的な日本庭園のことです。

- [ ] 枯山水では石、砂、苔と少しの植物を調和させて、自然を象徴します。

- [ ] 石庭とは究極の、あるいは最小限の枯山水のことです。

- [ ] 石庭は多くの禅寺にあるので、欧米人からよく"禅ガーデン"と呼ばれます。

- [ ] 坪庭とは日本家屋にある小さな中庭のことです。

- [ ] 坪庭とは、京都の商家によく見られる非常に小さな庭です。

日本三大名園のひとつ、後楽園（岡山市）

Viele japanische Tempel, *Ryokan* und traditionelle japanische Gebäude haben einen japanischen Garten.

In japanischen Gärten gibt es oft einen Teich, genannt *Chisen*.

Ein wichtiges Element japanischer Gärten ist die Anordnung und das Zusammenspiel der Steine, Teiche, des Mooses und der Bäume.

Um einen schönen japanischen Garten anzulegen, braucht man Steine, Felsen, Büsche und Bäume mit ansprechender Form.

In traditionellen japanischen Gärten gibt es einen *Chisen* genannten Teich, in dem japanische Karpfen (*Koi*) schwimmen.

Farbige *Koi* bedürfen einer aufmerksamen Pflege und sind für ihre wunderschönen Farben bekannt.

In Teichen traditioneller japanischer Gärten schwimmen farbige *Koi*.

Daneben gibt es auch *Karensansui*. Dabei handelt es sich um traditionelle japanische Landschaftsgärten ohne Wasser.

In diesen Gärten bilden Steine, Sand, Moos und ein klein wenig Pflanzen eine Harmonie, die Natürlichkeit repräsentiert.

Steingärten (*Sekitei*) sind dabei die stärkste bzw. minimalistische Ausprägung von Landschaftsgärten ohne Wasser.

Da es in vielen Zen-Tempeln Steingärten gibt, werden sie von Europäern und Amerikanern auch manchmal „Zen-Garten" genannt.

Ein *Tsuboniwa* ist einer kleiner umschlossener Garten von oder in japanischen Gebäuden.

Ein *Tsuboniwa* ist ein ganz kleiner Garten, der sich oft in den Kaufmannshäusern in Kyoto finden lässt.

日本の今を楽しむ

あらゆる家電が安価で入手できる日本の量販店は、訪日外国人にも人気のスポットです。伝統品から食品・日常用品がそろう百貨店も勧めてみましょう。

量販店

☐ 特に、家電を扱っている量販店には、電気製品や日用品、薬などあらゆる商品があります。

☐ 東京では、主要駅の周辺に家電を扱う量販店があります。

☐ 特に、東京の秋葉原には、家電を扱う量販店が多くあります。

☐ 量販店には、ビックカメラ、ヤマダ電機、ベスト電器、ヨドバシカメラ、ソフマップなどがあります。

☐ 大都市には、文具や目新しい商品を扱う量販店があります。

☐ ハンズやロフトといった大型店では、外国人に人気の文房具やオリジナル商品を売っています。

秋葉原の電気街

百貨店

☐ 「department store」は、日本語で百貨店のことです。

☐ 百貨店では、伝統的な和物から、日常生活用品まであらゆるものを扱っています。

☐ 日本の百貨店の地下は食品売り場になっており、特産品なども売っています。

66

Großwarenhäuser

Vor allem in Großwarenhäusern für Haushaltsgeräte gibt es alle möglichen Waren, von Elektronik über Dinge des täglichen Bedarfs bis hin zu Medikamenten.

In Tokio gibt es um wichtige Bahnhöfe herum solche Großwarenhäuser.

Vor allem in Akihabara in Tokio gibt es viele Großwarenhäuser für Elektronik.

Zu den Großwarenhäusern zählen unter anderem Bic Camera, Yamada Denki, Best Denki, Yodobashi Camera oder Sofmap.

In Großstädten gibt es auch Großwarenhäuser, die Schreibwaren und originelle Produkte anbieten.

Läden mit großer Verkaufsfläche, wie Hands oder Loft, verkaufen Schreibwaren und originelle Produkte, die bei Ausländern sehr beliebt sind.

Kaufhäuser

Auf Japanisch heißen Kaufhäuser *Hyakkaten*.

In Kaufhäusern gibt es von traditionellen, in Japan hergestellten Waren bis hin zu Dingen des täglichen Bedarfs alles Mögliche.

In den Untergeschossen von japanischen Kaufhäusern werden Lebensmittel und lokale Spezialitäten verkauft.

日本橋の老舗デパート

☐ 日本の百貨店の食品売り場に行くと、特産品の他、日本酒などのアルコール飲料も売っています。

新幹線・鉄道

☐ 列車で日本を旅するのは楽しいものです。

☐ 新幹線とは日本の高速列車の名前です。

☐ 日本のほとんどの主要都市には新幹線という高速列車で行くことができます。

☐ 新幹線はその姿形からよく弾丸列車と呼ばれます。

☐ 新幹線は時速300キロで走ります。

☐ 新幹線は時速300キロで走ります。たとえば、東京と福岡を約5時間で結びます。

☐ 1964年に導入されて以来、全国の新幹線網は拡大しています。

☐ 新幹線網は南は九州の主要都市である鹿児島から、北は北海道まで延びています。

☐ 日本を賢く楽しむには新幹線とローカル線を利用することです。乗り換えも便利です。

☐ 新幹線とローカル線を利用すれば、ほとんど全国どこへでも行けます。

☐ 新幹線には各駅に停車するものと、主要駅だけに停車するものとがあります。

☐ 東京から関西、九州方面へ行くには、のぞみという新幹線がもっとも速いです。
［ ひかりや各駅に停まるこだまもあります。］

In Kaufhäusern gibt es von traditionellen, in Japan hergestellten Waren bis hin zu Dingen des täglichen Bedarfs alles Mögliche.

Shinkansen und Züge

Im Zug macht eine Reise durch Japan am meisten Spaß.

Shinkansen heißt der japanische Hochgeschwindigkeitszug.

Die meisten japanischen Großstädte werden von Hochgeschwindigkeitszügen angefahren, die Shinkansen heißen.

Wegen seiner Form wird der Shinkansen oft „Bullet Train" genannt.

Der Shinkansen verkehrt mit einer Geschwindigkeit von 300 km/h.

Der Shinkansen verkehrt mit einer Geschwindigkeit von 300 km/h. So kann man beispielsweise in fünf Stunden von Tokio nach Fukuoka kommen.

Seit seiner Einführung im Jahre 1964 wächst das Streckennetz des Shinkansen stetig.

Das Streckennetz des Shinkansen erstreckt sich vom Süden, von der Präfekturhauptstadt Kagoshima, bis nach Hokkaido im Norden aus.

Am meisten kann man aus seiner Reise herausholen, wenn man den Shinkansen mit Nahverkehrszügen kombiniert. Auch das Umsteigen funktioniert problemlos.

Wenn man den Shinkansen mit Nahverkehrszügen kombiniert, kann man fast alle Orte erreichen.

Es gibt Shinkansen, die an allen Bahnhöfen halten, und solche, die nur an großen Bahnhöfen halten.

Möchte man von Tokio in Richtung Kansai oder Kyushu, geht es mit dem „Nozomi"-Shinkansen am schnellsten. (Daneben gibt es noch den „Hikari" und den „Kodama", der an allen Bahnhöfen hält.)

☐ 東京から東北、北海道方面に行くには、はやぶさという新幹線が一番速いです。その他に多くの各駅停車も利用できます。

☐ 東京から京都や大阪へ行きたいときは新幹線がおすすめです。

☐ 東京、名古屋、京都、大阪間を移動するときは、新幹線を利用するのが便利です。

☐ 東京と名古屋、京都、大阪を行き来するには、新幹線が便利です。各都市間を15分間隔で運行しています。

☐ 混雑する時期を除けば、普通は駅に行って切符を買い、座席の予約なしでも新幹線に乗ることができます。

☐ 日本人にとって新幹線は、旅するときの便利な移動手段であるだけでなく、海外への重要な輸出技術となっています。

☐ 台湾は、新幹線の技術を使った高速列車システムを構築しました。

☐ 日本の新幹線はドイツの高速鉄道システム、ICEのようなものです。

Möchte man von Tokio in Richtung Tohoku oder Hokkaido, geht es mit dem „Hayabusa"-Shinkansen am schnellsten. Dazu kann man auch mit vielen Zügen fahren, die an allen Bahnhöfen halten.

Wer von Tokio nach Kyoto oder Osaka möchte, fährt am besten mit dem Shinkansen.

Wer zwischen Tokio, Nagoya, Kyoto und Osaka reist, für den ist der Shinkansen am praktischsten.

Wer von Tokio nach Nagoya, Kyoto oder Osaka hin- und zurückreist, empfiehlt sich der Shinkansen. Denn er verkehrt alle 15 Minuten.

Mit Ausnahme der Hochsaison kann man normalerweise zum Bahnhof gehen, dort eine Fahrkarte kaufen und dann auch ohne Sitzreservierung mit dem Shinkansen fahren.

Für Japaner ist der Shinkansen nicht nur eine Komfortable Art, zu reisen, sondern auch eine für den Export wichtige Technologie.

So hat beispielsweise Taiwan auf Grundlage der Shinkansen-Technik sein Hochgeschwindigkeitsnetz aufgebaut.

Der japanische Shinkansen ist mit dem deutschen ICE vergleichbar.

日本食を楽しむ

Freude an japanischem Essen

(☞ Sushi p.77)

Sushi im Edo-Stil
江戸前寿司

Beliebte Fischsorten für Sushi
人気が高い寿司ネタ

Uni
(Seeigeleierpaste.
Diese Wickelform
wird *Gunkanmaki*
genannt.)
ウニ（ウニの卵巣。海苔の巻き
かたを「軍艦巻き」と言う）

Toro
(fettige Teile des
Thunfischs)
トロ（マグロの身の脂の多い部位）

Ebi
(rohe oder gekochte
Krabben)
エビ（生のエビと茹でたエビがある）

Anago
(Seeaal, der zum Kochen
verwendet wird).
アナゴ（うなぎの仲間で、煮て使う）

Kaiseki-zen – lackiertes
Tablett für festliches
Essen
懐石膳

(☞ Kaisekiryōri p.85)

Soba
– Buchweizennudeln
そば

Udon – dicke
Weizennudeln
うどん

Ekiben – Bahnhofs-*Bentō*
駅弁

Maku-no-uchi-Bentō
– *Bentō* mit Reis und
Zuspeisen
幕の内弁当

(☞ Ekiben und Bentō p.97)

(☞ Soba und Udon p.89)

Yose-nabe – Eintopf
寄せ鍋

(☞ Nabe p.83)
(☞ Sukiyaki und Shabu-Shabu p.81)

Sukiyaki – Eintopf mit Rindfleisch, *Tōfu* und Porree
すき焼き

Oden – Eintopf mit Ei, Rettich usw.
おでん

Shabushabu – Eintopf mit Rindfleisch, *Tōfu* und Gemüse
しゃぶしゃぶ

Yakitori-ya – Restaurant für gegrilltes Hühnerfleisch
焼き鳥屋

Okonomiyaki-ya – Restaurant für *Okonomiyaki*
お好み焼き屋

nach Kanto-Art
(Gäste braten selbst)
関東風（客が自分で焼く）

nach Kansai-Art
(Personal brät)
関西風（店員が焼いてくれる）

(☞ Yakitori p.85)

(☞ Okonomiyaki p.95)

第2章
日本を楽しむ

日本食を楽しむ

73

日本食を楽しむ

旅の楽しみはなんといっても食事です。和食は、無形文化遺産にも登録され、世界の人にも人気です。寿司だけではない日本食を説明できるようになります。

導入

☐ 日本食は寿司だけではありません。

☐ 日本食といってもいろいろな料理があります。

☐ 寿司だけでも、多くの種類があります。

☐ 海外の日本食レストランでは、幅広い日本食を出します。

☐ 海外の日本食レストランでは、幅広い種類の日本食を出しますが、日本では違います。

☐ 日本のレストランは、店によって専門料理が違います。

☐ 日本食は日本語で和食といいます。

☐ 日本の食べ物は和食といい、西洋の食べ物は洋食といいます。

刺身

☐ 刺身はとても新鮮な生の魚です。

☐ 刺身は世界で最も良く知られた日本の魚料理の一つです。

☐ 刺身は生の魚を薄く切って、きれいに盛り付けたものです。

☐ 刺身はいろいろな魚介でつくります。

Einleitung

Japanisches Essen besteht nicht nur aus *Sushi*.

Es gibt viele verschiedene Arten von japanischem Essen.

Allein *Sushi* bietet eine große Vielfalt.

Im Ausland bieten japanische Restaurants eine breite Auswahl an japanischem Essen an.

Im Ausland bieten japanische Restaurants eine breite Auswahl an japanischem Essen an. Doch in Japan ist das anders.

In Restaurants in Japan hat jedes Restaurant eine andere Spezialität.

Auf Japanisch sagt man zu japanischem Essen *Washoku*.

In Japan nennt man japanisches Essen *Washoku*, westliches Essen *Yōshoku*.

Sashimi

Sashimi ist roher, sehr frischer Fisch.

Sashimi ist eines der weltweit bekanntesten japanischen Fischgerichte.

Für *Sashimi* wird roher Fisch in dünne Scheiben geschnitten und schön angerichtet.

Sashimi wird aus Fischen und Seefrüchten gemacht.

☐ 刺身をつくるには、魚のさばき方や薄く切る技術が必要です。

☐ 刺身はわさびと一緒に醤油につけて食べます。

☐ 日本の寿司屋で、美味しくて新鮮な刺身を味わうことができます。

☐ 刺身にはたいてい細く切った大根が添えられます。

☐ 刺身には日本酒がよく合います。

寿司

☐ 寿司は酢飯を使った日本食です。

☐ 日本にはいろいろな寿司があり、地域毎に伝統的な寿司があります。

☐ 訪日した外国人がいう寿司は、一般的にはにぎり寿司のことで、寿司の中で最も人気があります。

☐ 最も人気がありよく知られているのがにぎり寿司で、世界中の日本食レストランで出されています。

☐ にぎり寿司は江戸前寿司ともいわれます。それは、封建時代に東京の旧名であった江戸で進化したからです。

☐ にぎり寿司はにぎった酢飯に刺身をのせたものです。

☐ ちらし寿司は、酢飯の上に刺身や野菜、キノコ、玉子などの具をのせた寿司のことです。

☐ いなり寿司も寿司の一種で、丸めた酢飯を油揚げで包んだものです。

☐ 巻物とはのりで巻かれた寿司のことで、中身はマグロやキュウリなどです。

Um *Sashimi* zubereiten zu können, muss man sich gut mit Fischen auskennen und eine spezielle Schneidetechnik beherrschen.

Sashimi isst man mit *Wasabi* und Sojasoße (*Shōyu*).

In *Sushi*-Restaurants in Japan kann man frisches leckeres *Sashimi* probieren.

Oft wird *Sashimi* mit fein geschnittenem Rettich (*Daikon*) serviert.

Zu *Sashimi* passt japanischer Reiswein (*Sake*) gut.

Sushi

Sushi ist ein japanisches Gericht, für das Reis mit Essig verwendet wird.

In Japan gibt es viele verschiedene Arten von *Sushi*, und jede Region hat ihr eigenes traditionelles *Sushi*.

Mit „*Sushi*" meinen Ausländer, die nach Japan reisen, in der Regel *Nigiri-Sushi*, die beliebteste Art *Sushi*.

Die beliebteste und bekannteste Art *Sushi* ist *Nigiri-Sushi*, das in japanischen Restaurants in aller Welt serviert wird.

Nigiri-Sushi wird manchmal auch *Edomae-Sushi* genannt. Das liegt daran, dass sich diese Art *Sushi* in Edo entwickelt hat, dem alten Namen von Tokio in der Feudalzeit.

Bei *Nigiri-Sushi* wird *Sashimi* auf geformten Reis mit Essig gelegt.

Bei *Chirashi-Sushi* werden *Sashimi*, Gemüse, Pilze, Eier und andere Zutaten auf Reis mit Essig verteilt.

Eine weitere Art *Sushi* ist *Inari-Sushi*, bei dem in runde Form gebrachter Reis mit Essig mit einem Mantel aus dünnem, frittierten *Tōfu* umwickelt wird.

Makimono ist eine Art *Sushi*, bei der Thunfisch und Gurken mit Seegras (*Nori*) umwickeltet sind.

☐ 鉄火巻きとは巻物の一種で、マグロを使って作ります。

☐ かっぱ巻きは巻物の一種で、キュウリを使って作ります。

☐ 太巻きとは、かんぴょう、椎茸、玉子焼きなどを巻いてつくる寿司の一種です。

☐ 5つ星の寿司屋はとても高いです。

☐ 回転寿司は寿司屋のファーストフードで気軽に寿司を味わえます。

☐ 回転寿司では、いろいろな種類の寿司が小皿にのって、ベルトの上を廻っています。

☐ 回転寿司では、会計の時に店員がテーブルの上の皿の数を数えます。皿の色によって値段が違います。

☐ 寿司を食べる時は、あまり醤油をつけすぎないように注意しましょう。

☐ 寿司を食べるには、箸を使うことも指でつまむこともできます。

☐ アメリカには、カリフォルニアロールのような巻き寿司がいろいろあります。

Tekkamaki ist eine Art von *Makimono*, bei der nur Thunfisch verwendet wird.

Kappamaki ist eine Art von *Makimono*, bei der nur Gurken verwendet werden.

Futomaki ist eine Art *Sushi*, bei der unter anderem getrocknete Kürbisstreifen, *Shiitake*-Pilze und gerolltes Omelette zusammengerollt werden.

Sushi-Restaurants mit 5 Sternen sind sehr teuer.

Kaiten-Sushi ist ein Fast-Food-*Sushi*-Restaurant, in dem man zwanglos *Sushi* probieren kann.

In einem *Kaiten-Sushi*-Restaurant werden viele verschiedene Arten *Sushi* auf kleinen Tellern angerichtet, die dann auf einem Förderband im Kreis fahren.

Zahlt man in einem *Kaiten-Sushi*-Restaurant, zählt die Bedienung, wie viele Teller auf dem Tisch stehen. Der Preis richtet sich nach der Farbe des Tellers.

Beim Essen von *Sushi* sollte man darauf achten, das *Sushi* nicht in zu viel Sojasoße zu tunken.

Sushi kann man mit Stäbchen oder mit den Fingern essen.

In Amerika gibt es viele gerollte Sushiarten, wie „California Roll".

回転寿司店の様子

■ 天ぷら

☐ 天ぷらとは、魚介や野菜を揚げたものです。

☐ 天ぷらは、魚介や野菜を揚げたもので、衣は小麦粉と水でつくります。

☐ たいていの魚介類は天ぷらにできます。とりわけ、海老の天ぷらはとても人気があります。

☐ 美味しい天ぷらを食べるには、必ず新鮮な材料を使って揚げますが、揚げ過ぎてはいけません。

☐ 天丼は、丼に入ったご飯の上に天ぷらをのせたものです。

☐ 天ぷらには天つゆが添えられます。

☐ 天つゆは、魚だし、醤油、甘口の調理酒であるみりんでつくります。

■ すき焼き・しゃぶしゃぶ

☐ すき焼きはテーブルの上で調理する鍋料理です。主な材料は薄く切った牛肉、豆腐、ネギ、キノコ、しらたきです。

☐ すき焼きは鍋料理で、主な材料は薄く切った牛肉、豆腐、ネギです。浅い鉄鍋に、醤油、砂糖、みりん、酒を加えて調理します。

☐ すき焼きは別皿に入った生卵につけて食べます。

☐ しゃぶしゃぶは鍋料理で、主な材料は紙のように薄く切った牛肉です。

☐ しゃぶしゃぶは鍋料理で、主な材料は紙のように薄く切った牛肉を、豆腐と野菜などと一緒に食べます。

Tempura

Für *Tempura* werden Fisch, Seefrüchte und Gemüse frittiert.

Für *Tempura* werden Fisch, Seefrüchte und Gemüse frittiert. Die Panade besteht aus Mehl und Wasser.

Fast alles aus dem Meer kann für *Tempura* verwendet werden. Vor allem Garnelen-*Tempura* ist sehr beliebt.

Für den Geschmack von *Tempura* ist die Frische der Zutaten von entscheidender Bedeutung. Auch darf man sie nicht zu lange frittieren.

Tendon ist eine Schüssel mit Reis, auf den *Tempura* gelegt werden.

Tempura wird mit *Tentsuyu* serviert.

Tentsuyu ist eine dünne Soße, die aus Fischbouillon, Sojasoße und süßem Kochwein (*Mirin*) zubereitet wird.

Sukiyaki und Shabushabu

Sukiyaki ist ein Eintopfgericht, das am Tisch zubereitet wird. Hauptzutaten sind dünn geschnittenes Rindfleisch, *Tōfu*, Porree, Pilze und *Konnyaku*-Glasnudeln (*Shirataki*).

Sukiyaki ist ein Eintopfgericht, dessen Hauptzutaten dünn geschnittenes Rindfleisch, *Tōfu* und Porree sind. Für die Zubereitung werden Sojasoße, Zucker, *Mirin* und *Sake* in einen flachen Topf gegeben.

Sukiyaki wird in rohes Ei getunkt, das auf einem separaten Teller serviert wird.

Shabushabu ist ein Eintopfgericht, dessen Hauptzutat hauchdünn geschnittenes Rindfleisch ist.

Shabushabu ist ein Eintopfgericht, dessen Hauptzutaten hauchdünn geschnittenes Rindfleisch, *Tōfu* und Gemüse sind. Alles wird gemischt und zusammen gegessen.

☐ しゃぶしゃぶを楽しむには、薄く切った牛肉を熱い出汁に入れ、たれにつけて食べます。

☐ レストランのランクに関わらず、しゃぶしゃぶは客が調理します。

☐ 美味しいすき焼きやしゃぶしゃぶの高級店は、和牛を出します。

鍋物

☐ おでんは冬に食べる人気の鍋料理です。ゆで卵、大根、さつま揚げ、こんにゃくといった材料を醤油の出汁で煮込んだものです。

☐ ちゃんこ鍋は相撲部屋で出される鍋料理です。

☐ ちゃんこ鍋は元々相撲取りによって作られた日本の鍋料理です。多くのお相撲さんが引退後にちゃんこ鍋屋を開きます。

☐ 湯豆腐は、鍋に昆布を敷いて、そこに豆腐、水を入れて温めて食べる料理です。

☐ 湯豆腐は豆腐を使う鍋料理で、冬の人気料理です。

☐ 一般的な鍋料理では、具を食べた後に、残った出汁にご飯を入れて食べます。

和牛

☐ 和牛は柔らかいことで有名です。

☐ 和牛とは最高級の日本の牛肉で、柔らかいことで有名です。

☐ 神戸と松阪は高品質の和牛で有名です。他にも多くの地域で独自の高級和牛を育てています。

Shabushabu schmeckt am besten, wenn man das dünn geschnittene Rindfleisch erst in heiße Brühe aus Bonito und Tang (*Dashi*) legt und dann in Soße tunkt.

Egal, wie exklusiv das Restaurant auch ist, *Shabushabu* wird von den Gästen zubereitet.

In exklusiven Restaurants wird für *Sukiyaki* und *Shabushabu* japanisches Rindfleisch (*Wagyū*) verwendet.

Nabemono

Oden ist ein im Winter gerne gegessenes Eintopfgericht. Dafür werden in heißem *Dashi* mit Sojasoße Eier, *Daikon*, frittierte Fischbällchen (*Satsumaage*), *Konnyaku* und anderes geköchelt.

Chankonabe ist ein Eintopfgericht, das aus *Sumō*-Trainingszentren stammt.

Chankonabe ist ein japanisches Eintopfgericht, das ursprünglich von *Sumō*-Ringern zubereitet wurde. Viele *Sumō*-Ringer eröffnen nach ihrer aktiven Karriere ein *Chankonabe*-Restaurant.

Yudōfu ist ein Gericht, bei dem Seetang (*Kombu*) in einer Pfanne ausgelegt wird und *Tōfu* und Wasser dazugegeben werden, um ihn zu erwärmen.

Yudōfu ist ein Gericht mit *Tōfu*, das gerne im Winter gegessen wird.

Bei Eintopfgerichten ist es üblich, die übriggebliebene Suppe mit Reis zu essen.

Wagyū

Wagyū ist für seine Zartheit berühmt.

Wagyū ist hochwertiges japanisches Rindfleisch, das für seine Zartheit berühmt ist.

Vor allem *Wagyū* aus Kobe und Matsuzaka ist für seine Qualität bekannt. Aber auch in anderen Regionen wird erstklassiges *Wagyū* gezüchtet.

焼き鳥

☐ 焼き鳥とは鳥肉を串焼きしたものです。

☐ 焼き鳥には多くの種類があります。鶏は皮や内臓も含め、ほとんどの部位が焼き鳥に使われます。

☐ 鳥肉だけでなく野菜と組み合わせる食べ方もあります。

☐ 焼き鳥は屋台や居酒屋で出されるのがほとんどですが、中には品質にこだわった高級店もあります。

☐ 焼き鳥は、ビールや日本酒とよく合います。

懐石料理

☐ 懐石料理とは、高級な和食のフルコースです。

☐ 懐石料理の店では、いろいろな日本料理を最も洗練された形で楽しむことができます。

☐ 懐石料理は正式な食事で、宴席などで供されます。

☐ 懐石料理は決まったコースの中から選びます。単品の注文はできません。

☐ 懐石料理は、最も高額な日本料理のひとつです。

☐ もともと懐石は茶会前に出される料理でした。

☐ 懐石料理はコース料理のように一品ずつ順番に出てきます。

☐ 懐石料理の店で出てくる料理は、調理法も種類もさまざまです。

☐ 懐石料理に出てくる典型的な料理は、刺身、煮物、焼き物、天ぷら、お吸い物などです。

Yakitori

Yakitori ist gegrilltes Hühnerfleisch am Spieß.

Es gibt viele unterschiedliche Arten *Yakitori*. Fast alles vom Hähnchen wird verwendet, auch die Haut und Innereien.

Neben Hühnerfleisch ist auch Gemüse am Spieß.

In der Regel wird *Yakitori* an Straßenständen und in japanischen Kneipen (*Izakaya*) angeboten, doch es gibt auch gehobene Restaurants mit hoher Qualität.

Zu *Yakitori* passen Bier und *Sake* gut.

Kaisekiryōri

Kaisekiryōri ist ein gehobenes japanisches Gängemenü.

In Restaurants für *Kaisekiryōri* kann man viele japanische Speisen in erstklassiger Form genießen.

Bei *Kaisekiryōri* handelt es sich um formale Gerichte, die üblicherweise bei Banketts serviert werden.

Bei *Kaisekiryōri* kann man zwischen verschiedenen, inhaltlich festgelegten Gängen wählen. Bestellen à la carte ist daher nicht möglich.

Kaisekiryōri ist eine der teuersten japanischen Spezialitäten.

Ursprünglich handelte es sich bei *Kaiseki* um Speisen, die vor einer Teezeremonie gereicht wurden.

Bei *Kaisekiryōri* werden die einzelnen Speisen wie bei einem Gängemenü einzeln in Reihenfolge serviert.

Die Speisen, die als *Kaisekiryōri* serviert werden, unterscheiden sich in Sachen Zubereitung und Auswahl je nach Restaurant deutlich.

Zu den typischen *Kaisekiryōri*-Gerichten gehören *Sashimi*, geköchelte Gerichte, gegrillte Speisen, *Tempura* und Suppe.

日本食を楽しむ…焼き鳥／懐石料理

□ 懐石は舌だけでなく目も楽しませてくれるご馳走です。

□ 懐石は見た目が重要で、すべての素材が美しく盛り付けられています。

□ 懐石では季節ごとの食材が使われ、見た目の美しさだけでなく旬の味を楽しむことができます。

うなぎの蒲焼き・うな重

□ うなぎは淡水魚で、濃厚なたれを付けて焼きます。

□ うなぎ料理は、うなぎの専門店で出されるのが一般的です。

□ うなぎの蒲焼きは単に蒲焼きともいい、うなぎに特製のタレを付けて焼いたものです。

□ 日本人は夏にうなぎを食べます。うなぎは暑さに打ち勝つ精力をつけると信じられているからです。

□ 蒲焼きは魚を開いて骨を取り除いてから、串に刺し濃厚なたれを付けて焼きます。

□ 蒲焼のたれは、醤油、酒、味醂、砂糖などを混ぜたものです。

□ うなぎの蒲焼は江戸の郷土料理で、日本人の好物です。

□ うなぎには豊富なタンパク質、脂肪、ビタミンA、Eが含まれています。

□ うなぎの専門店では蒲焼のほかにうな重が人気です。

□ うな重とは、ご飯の上に蒲焼を乗せたものです。

□ うなぎ料理には、肝吸いがよく付いてきます。うなぎの内臓を入れた汁物です。

Kaiseki ist nicht nur ein Gaumen-, sondern auch ein Augenschmaus.

Bei *Kaiseki* ist auch die Präsentation wichtig, daher müssen alle Bestandteile ansehnlich angerichtet werden.

Es werden Zutaten der Saison verwendet, weswegen man sich nicht nur am Aussehen, sondern auch am Geschmack der jeweiligen Jahreszeit erfreuen kann.

Unagi-no-Kabayaki und Unajū

Beim *Unagi* handelt es sich um einen Süßwasser-Aal, der in dickflüssige Soße getaucht und gegrillt wird.

Aalgerichte werden in der Regel in Aal-Restaurants angeboten.

Unagi-no-Kabayaki wird manchmal auch einfach *Kabayaki* genannt. Ein Aal wird in eine spezielle Soße getaucht und gegrillt.

Japaner essen Aal im Sommer. Man sagt nämlich, dass der Aal einem die Stärke gebe, die Hitze auszuhalten.

Bei *Kabayaki* wird der Fisch aufgeschnitten, die Gräten entfernt, aufgespießt, in eine dickflüssige Soße getaucht und gegrillt.

Die Soße für *Kabayaki* besteht aus Sojasoße, *Sake*, *Mirin*, Zucker und anderen Zutaten.

Unagi-no-Kabayaki war eine lokale Spezialität in Edo und das Lieblingsessen vieler Japaner.

In Aal ist viel Eiweiß, Fett, Vitamin A und Vitamin E enthalten.

In Aal-Restaurants ist neben *Kabayaki* auch *Unajū* beliebt.

Unajū ist *Kabayaki* auf Reis.

Zu Aalgerichten wird oft eine Suppe aus Aalleber gereicht. In der Suppe sind die Innereien des Aals vermischt.

そば・うどん

☐ そばとは、そば粉でできた細い麺です。

☐ 日本にはそば専門のそば屋という店があります。

☐ もりそばとは、ざるに盛った冷たいそばです。

☐ ざるそばとは、ざるに盛り海苔をかけたそばです。

☐ 天ざるは天ぷらがついた冷たいそばです。

☐ かけそばは、熱いだし汁をかけただけのそばです。

☐ そばには熱い汁と一緒に出てくるものがあります。

☐ うどんは小麦粉でつくる太めの麺で、食べ方はそば
　と似ています。

☐ そばもうどんも、つけ汁に付けて食べる冷たいもの
　と、出し汁がかかった温かいものがあります。

☐ 西日本の人たちはそばよりもうどんをよく食べま
　す。

☐ 東日本の人たちはうどんよりもそばをよく食べます。

☐ 日本人はよく麺をすすります。

☐ 麺を食べるとき、日本では音をたてても構いません。

Soba und Udon

Soba sind aus Buchweizenmehl hergestellte, dünne Nudeln.

In Japan werden Restaurants, die sich auf *Soba* spezialisieren, *Soba-ya* genannt.

Morisoba sind gekochte *Soba*, die auf einer Bambusunterlage kalt serviert werden.

Zarusoba werden auf einer Bambusunterlage serviert und mit *Nori* bestreut.

Tenzaru sind kalte *Soba* mit *Tempura*.

Kakesoba sind *Soba*, die einfach in heißer Suppe serviert werden.

Manche *Soba* werden mit heißer Suppe serviert.

Udon sind aus Weizenmehl hergestellte, dicke Nudeln, die ähnlich wie *Soba* gegessen werden.

Bei *Soba* wie *Udon* gibt es als kalte Variante Soße zum Tunken oder als heiße Variante die Nudeln in Suppe.

In Westjapan sind *Udon* beliebter als *Soba*.

In Ostjapan sind *Soba* beliebter als *Udon*.

Japaner schlürfen die Nudeln oft.

In Japan gilt es nicht als unhöflich, beim Essen von Nudeln Geräusche zu machen.

ラーメン

☐ ラーメンは日本で大人気のファーストフードです。

☐ ラーメンの起源は中国ですが、日本は独自の味に進化させました。

☐ ラーメンは値段も手頃で、気楽な食べ物です。

☐ ラーメンは日本で最も人気のある麺類の一つです。

☐ 日本にはラーメン屋という専門店が無数にあります。

☐ 大都市では、ラーメン屋はほとんど街角ごとにあります。

☐ ラーメンのスープはさまざまな素材から作ります。

☐ ラーメンのスープは、鶏、豚、魚、昆布、きのこ、野菜など、さまざまな素材から作ります。

☐ ラーメンの麺は小麦粉でつくられます。

☐ ラーメンは安価で日常の食べ物ですが、有名店に定期的に通うような熱狂的なファンもいます。

☐ 最も人気のあるラーメンの種類には、味噌、塩、醤油があります。

☐ ラーメンには、味噌ラーメン、塩ラーメン、醤油ラーメンなどの種類があります。

☐ 九州のラーメンは、豚骨でスープを作る豚骨ラーメンです。

☐ 札幌の味噌ラーメンはバターをのせて食べることもあります。

☐ ラーメンの典型的な具は、チャーシュー、海苔、シナチク、ネギなどです。

Rāmen

Rāmen sind in Japan überaus beliebtes Fast Food.

Rāmen kommen ursprünglich aus China, doch in Japan hat sich ein einzigartiger Geschmack entwickelt.

Rāmen sind ein günstiges Alltagsessen.

In Japan gehören *Rāmen* zu den beliebtesten Nudelgerichten.

In Japan gibt es unzählige Restaurants, die sich auf *Rāmen* spezialisieren, genannt *Rāmen-ya*.

In Großstädten gibt es quasi an jeder Straßenecke ein *Rāmen*-Restaurant.

Die Suppe für *Rāmen* kann aus ganz verschiedenen Zutaten zubereitet werden.

Die Suppe für *Rāmen* wird beispielsweise aus Huhn, Schwein, Fisch, *Kombu*, Pilzen oder Gemüse zubereitet.

Die Nudeln für *Rāmen* werden aus Weizenmehl hergestellt.

Rāmen sind zwar ein günstiges Alltagsessen, doch es gibt auch bekannte Restaurants, die regelmäßig von eingefleischten Fans besucht werden.

Die beliebtesten Sorten *Rāmen* sind fermentierte Sojabohnenpaste (*Miso*), Salz und Sojasoße.

Es gibt *Miso-Rāmen*, Salz-*Rāmen*, Sojasoßen-*Rāmen* und andere Geschmacksrichtungen.

Bei den aus Kyushu stammenden *Tonkotsu-Rāmen* wird die Suppe aus Schweineknochen zubereitet.

In Sapporo werden die *Miso-Rāmen* mit einem Stück Butter garniert.

Typische Einlagen für *Rāmen* sind geröstete Schweinefleischscheiben (*Chāshū*), *Nori*, chinesische Bambussprossen (*Shinachiku* oder *Menma*) oder Porree.

カレーライス

☐ カレーライスは人気の洋食です。

☐ カレーはインドの料理ですが、19世紀終わり頃にイギリスを通して日本に伝わってきました。

☐ 日本のカレーライスは、ご飯の上にカレーソースをかけたものです。

☐ カレーライスは日本で最も人気のある料理のひとつです。

☐ カレーライスとラーメンは、日本で最も人気のあるファーストフードです。

☐ 都会には多くのカレーライス専門店があります。

☐ カレーライスは家庭でもよく作られます。

☐ カレーライスには具材によって多くの種類があります。

☐ カレーライスと豚カツを組み合わせたカツカレーも日本人には人気があります。

豚カツ

☐ 豚カツは豚肉に衣をつけて、シュニッツェルのように揚げたものです。

☐ 豚カツ店ではヒレやロース肉を揚げたものを手頃な値段で食べることができます。

焼きそば・焼きうどん

☐ 焼きそばは蒸した細麺を油で炒める料理で、野菜、豚肉などを加えることが多いです。

☐ 焼うどんは焼きそばのようなものですが、使う麺はうどんです。

Curryreis

Curryreis ist ein beliebtes westliches Gericht.

Zwar ist „Curry" ein indisches Gericht, doch Ende des 19. Jahrhunderts kam es über das Vereinigte Königreich nach Japan.

Beim japanischen Curryreis ist die Currysoße auf dem Reis.

Curryreis ist eines der beliebtesten Gerichte in Japan.

Curryreis und *Rāmen* sind in Japan das beliebteste Fast Food.

In Städten gibt es viele Curryreis-Restaurants.

Auch zu Hause wird oft Curryreis gekocht.

Es gibt viele Arten Curryreis, die alle unterschiedliche Zutaten haben.

In Japan ist auch Schnitzel auf Curryreis, genannt *Katsu-Curry* beliebt.

Tonkatsu

Tonkatsu ist paniertes Schweinefleisch, das frittiert wird, und damit dem Schnitzel sehr ähnlich ist.

In *Tonkatsu*-Restaurants kann man frittiertes Filet (*Hire*) und frittierte Lende (*Rōsu*) zu günstigen Preisen genießen.

Yakisoba und Yakiudon

Yakisoba ist ein Gericht aus gedämpften, dünnen Nudeln, die in Öl unter Rühren gebraten werden. Es werden oft Gemüse, Schweinefleisch und andere Zutaten hinzugefügt.

Yakiudon ist *Yakisoba* sehr ähnlich, nur die Nudeln sind eben *Udon*-Nudeln.

お好み焼き

- [ ] お好み焼きは日本のピザのようなものです。

- [ ] お好み焼きは関西地方で人気の料理です。

- [ ] お好み焼き屋では、お好み焼きのほかに焼きそばも供します。

- [ ] ピザ同様、お好み焼きのトッピングも魚介から肉までさまざまです。

丼もの

- [ ] 日本にはいろいろな丼ものがあります。

- [ ] 丼物は、日本では人気のファーストフードです。

- [ ] 人気の丼料理は、親子丼、カツ丼、天丼、牛丼です。

- [ ] 親子丼は鶏肉、玉ねぎを煮て、卵でとじ、ご飯にのせた料理です。

- [ ] カツ丼は親子丼に似ていますが、鶏肉ではなく豚カツを使います。

- [ ] 天丼は丼飯の上に天ぷらをのせ、タレをかけたものです。

- [ ] 牛肉をネギなどと煮て、その煮汁と一緒に丼飯にかけたものが牛丼です。

弁当

- [ ] 弁当はご飯やおかずを箱に詰めたものです。家やレストランで食べられない、食べたくない時に最適です。

- [ ] 弁当は丁寧にお弁当といわれることもあります。

Okonomiyaki

Okonomiyaki könnte man als japanische Pizza beschreiben.

Vor allem in Kansai ist *Okonomiyaki* ein beliebtes Gericht.

In *Okonomiyaki*-Restaurants gibt es neben *Okonomiyaki* auch andere Gerichte, z. B. *Yakisoba*.

Da man *Okonomiyaki* mit einer Pizza vergleichen kann, reichen auch die möglichen Beläge von Fisch und Meeresfrüchten bis hin zu Fleisch.

Donburimono

In Japan gibt es viele verschiedene Arten von *Donburimono*, einer Schüssel Reis mit Belag.

Donburimono ist ein in Japan beliebtes Fast Food.

Zu den beliebtesten Variationen gehören *Oyakodon*, *Katsudon*, *Tendon* und *Gyūdon*.

Oyakodon ist ein Gericht, bei dem Huhn und Zwiebeln gekocht, mit einem Ei vermischt und auf Reis serviert werden.

Katsudon ist so ähnlich wie *Oyakodon*, aber anstatt Hühnerfleisch wird *Tonkatsu* verwendet.

Tendon ist eine Schüssel mit Reis, auf den *Tempura* gelegt und mit dicker Soße abgerundet werden.

Für *Gyūdon* wird Rindfleisch mit Porree und anderen Zutaten geschmort und dann mit dem Fond auf eine Schüssel Reis gegeben.

Bentō

Ein *Bentō* ist eine Schachtel oder ein Kästchen, in dem Reis mit verschiedenen Beilagen angerichtet ist. Es eignet sich gut, wenn man nicht zu Hause oder im Restaurant essen kann oder möchte.

Etwas höflicher wird ein *Bentō* auch *O-bentō* genannt.

☐ 弁当は学校や仕事先での昼ごはん、ピクニック、旅行や法事の席などでも食べます。

☐ レストランでも弁当スタイルの料理を出すところもあります。

☐ 高級な和食レストランでは、漆塗りの美しい器に食材を詰めたミニ懐石を出すところもあります。

☐ 弁当は盛り付けが美しいことで広く知られています。

駅弁

☐ 駅弁とは列車の駅で売られている弁当のことです。

☐ 列車に長く乗るのであれば、駅弁という特別な弁当を試すいいチャンスです。駅弁は主要駅や車内で販売されています。

☐ 駅弁には地元の特産物が入っていることが多いです。

おにぎり

☐ おにぎりは、ご飯を三角や丸形などに握った食べ物です。

☐ おにぎりを作るときは、塩を少し掌に振ってから握ります。

☐ ご飯の中に具を入れて握り、海苔で包んで食べるのがおにぎりです。

☐ おにぎりは持ち歩くのに適しているので、どこでも食べることができます。

調味料・日本食の用語

☐ 味噌とは大豆を発酵させたペースト状のものです。

☐ 納豆は大豆を発酵させたもので、ご飯にのせて食べます。

☐ みりんとは甘い調理酒です。

Bentō werden in der Schule und am Arbeitsplatz oft als Mittagessen gegessen, daneben auch Picknicks, auf Reisen, bei privaten Gedenkfeiern und anderswo.

Manche Restaurants bieten ihre Speisen auch in Form eines *Bentōs* an.

Einige exklusive japanische Restaurants bieten wunderschöne, lackierte *Bentō*-Kästchen mit Mini-*Kaiseki* an.

Bentō sind weithin für das schön angerichtete Essen bekannt.

Ekiben

Ein *Ekiben* ist ein *Bentō*, das an einem Bahnhof verkauft wird.

Wer eine lange Zugreise vor sich hat, sollte sich die Gelegenheit, ein *Ekiben* genanntes, besonderes *Bentō* zu probieren, nicht entgehen lassen. *Ekiben* werden an wichtigen Bahnhöfen und auch im Zug verkauft.

Oft sind in einem *Ekiben* lokale Spezialitäten enthalten.

Onigiri

Ein *Onigiri* ist eine Speise, bei er Reis zu einem Dreieck oder einer Kugel geformt wurde.

Für das Formen streut man sich etwas Salz auf die Handfläche.

Für ein *Onigiri* kommen verschiedene Zutaten in den Reis, der mit einem Blatt *Nori* teilweise umwickelt wird.

Ein *Onigiri* lässt sich problemlos mitnehmen und kann daher überall gegessen werden.

Glossar für Gewürze und japanisches Essen

Miso ist eine Paste, die aus der Fermentation von Sojabohnen entsteht.

Nattō sind fermentierte Sojabohnen, die man auf Reis legt und isst.

Mirin ist ein süßlicher Kochwein.

- [ ] 海苔は海藻の一種を干したもので、とくに朝食時にご飯と一緒に食べます。

- [ ] 大根おろしとは大根をすり下ろしたものです。

- [ ] 胡麻ダレとは胡麻味のソースでしゃぶしゃぶや冷たいうどんなどを食べるときに使います。

- [ ] ポン酢とは柑橘果汁を入れた醬油で、刺身やしゃぶしゃぶなどに使います。

- [ ] 梅干しは梅のみを塩漬けにした食品で、酸っぱいが健康にいいです。

- [ ] つくねとは鶏の肉団子のことです。

わさび

- [ ] わさびは、日本の辛味（調味料）でペースト状のものもあります。

- [ ] 鰹節とはカツオを煮て燻してから乾燥させたものです。削って出し汁や料理の味付けに使います。

日本茶

- [ ] 日本茶は日本語でお茶といいます。

- [ ] 日本茶は緑茶として知られています。

- [ ] 日本人は緑茶のことをお茶と呼び、レストランでは水と同じで無料です。

- [ ] お茶はふつうは温かいものです。

- [ ] ペットボトルに入った冷たいお茶は自動販売機で買えます。

- [ ] 日本には様々な種類のお茶があります。

- [ ] 日本人はいろいろな種類のお茶を飲みます。

Für *Nori* werden eine Sorte Seetang getrocknet. *Nori* isst man vor allem zum Frühstück mit Reis.

Daikon-Oroshi ist geriebener Rettich.

Goma-Dare ist eine Soße mit Sesamgeschmack für *Shabushabu*, kalte *Udon* und andere Gerichte.

Ponzu ist Sojasoße mit Zitrusfruchtsaft für *Sashimi*, *Shabushabu* und andere Gerichte.

Umeboshi sind in Salz eingelegte japanische Aprikosen. Sie sind sehr sauer und gesund.

Tsukune sind Fleischbällchen aus Hühnerfleisch.

Wasabi ist japanischer Meerrettich, der in Form einer Paste als scharfes Gewürz verwendet wird.

Katsuobushi ist Bonito, der erst gekocht, dann geräuchert und schließlich getrocknet wird. In geriebener Form wird er für Suppen und Brühen (*Dashi*) und als Gewürz für Speisen verwendet.

Nihoncha

Auf Japanisch sagt man zu japanischem Tee *Nihoncha*.

Nihoncha ist als grüner Tee bekannt.

Japaner sagen zu grünem Tee *Ocha*, der in Restaurants kostenlos ist – wie Wasser.

Normalerweise wird *Ocha* heiß getrunken.

Gekühlten *Ocha* kann man an Automaten in Plastikflaschen kaufen.

In Japan gibt es viele verschiedene Arten von *Ocha*.

Japaner trinken ganz unterschiedliche Sorten *Ocha*.

☐ 茶会で点てられるお茶は抹茶という粉末状のもので、日常出されるお茶とは違います。

☐ 日本茶といえば一般的には煎茶のことです。抹茶とは違います。

☐ 煎茶は茶葉を急須に入れ、お湯を注いで飲みます。

☐ 玉露は煎茶より高級なお茶で、甘みとコクがあります。

☐ 番茶とは夏が過ぎてから摘まれた茶葉で淹れるお茶のことです。

☐ ほうじ茶とは、下級の茶葉をあぶってカフェインを減らしたお茶です。

☐ 玄米茶とは、茶葉に焙じた玄米を混ぜたお茶です。

和菓子

☐ 伝統的な日本の菓子を和菓子といいます。

☐ 和菓子はお茶と一緒に出されることが多いです。

☐ 和菓子がお茶と一緒に出されることが多いのは、お茶の苦味をやわらげるからです。和菓子の甘さがお茶の味を引き立ててくれるのです。

☐ 和菓子は茶会でも供されます。

☐ 見た目も美しい和菓子は、茶会の席には欠かせないものです。

☐ あんことは、小豆を煮て砂糖を加えて練ったものです。

☐ あんこを生地で包み込んだ和菓子が数多くあります。

Bei Teezeremonien wird der Tee aus einem Pulver zubereitet, das *Matcha* heißt. Dieser Tee unterscheidet sich von dem *Ocha*, den man im Alltag trinkt.

Mit *Nihoncha* ist in der Regel *Sencha* gemeint, der sich von *Matcha* unterscheidet.

Für *Sencha* kommen Teeblätter in ein Teekännchen, die mit heißem Wasser übergossen werden.

Gyokuro ist ein exklusiverer Tee als *Sencha*, der süßlich schmeckt und ein intensives Aroma hat.

Bancha ist ein Tee, der aus Teeblättern gebraut wird, die nach dem Sommer gepflückt wurden.

Hōjicha ist ein Tee, für den Teeblätter von niederer Qualität geröstet werden. Dadurch sinkt auch der Koffeingehalt.

Für *Genmaicha* wird beim Rösten der Teeblätter Naturreis (*Genmai*) eingemischt.

Wagashi

Traditionelle japanische Süßigkeiten (und Knabberartikel) heißen *Wagashi*.

Wagashi werden oft zu Tee gereicht.

Wagashi werden oft zu Tee gereicht, um den bitteren Geschmack des Tees abzumildern. Die Süße der *Wagashi* bringt den Geschmack des Tees erst richtig zur Geltung.

Auch bei Teezeremonien gibt es *Wagashi*.

Wagashi, die so hübsch wie lecker sind, dürfen bei einer Teezeremonie nicht fehlen.

Anko ist eine Paste aus gekochten Adzukibohnen mit Zucker.

Es gibt viele *Wagashi*, bei denen *Anko* von einem Teig umwickelt ist.

☐ 和菓子の作り方や飾りには、季節感があふれています。

☐ 落雁は水分の少ない菓子である干菓子の一種で、型にはめて作ります。

☐ 生菓子とは、主にあんこを使った水分の多い柔らかい和菓子です。

☐ 饅頭は、生菓子の代表例です。

☐ 饅頭は、生地であんこを包み蒸したものです。

☐ 干菓子の中でも人気なのが煎餅です。米の粉で作ります。

☐ 煎餅は丸くて硬く、食べるとぱりぱりしています。

☐ 煎餅は米粉を焼いて、しょう油や塩で味付けしたものです。

☐ 日本にはいろいろな干菓子がありますが、甘いものばかりではなく、塩からいものから辛いもの、香ばしいものもあります。

Die Zubereitung und Verzierung von *Wagashi* richtet sich ganz nach der Jahreszeit.

Rakugan sind *Wagashi* mit niedrigem Flüssigkeitsgehalt, die in eine bestimmte Form gepresst werden. Sie sind eine Sorte japanischen Trockenkonfekts (*Higashi*).

Namagashi sind weiche *Wagashi* mit hohem Flüssigkeitsgehalt, für die vor allem *Anko* verwendet wird.

Manjū sind ein typisches Beispiel für *Namagashi*.

Manjū sind mit *Anko* gefüllte Teigtaschen, die gedämpft werden.

Auch *Senbei* sind ein sehr beliebtes *Higashi*. *Senbei* werden aus Reismehl hergestellt.

Senbei sind runde, harte und knusprige Cracker.

Für *Senbei* wird Reismehl gebacken. Für ihren Geschmack sorgt zumeist Sojasoße oder Salz.

In Japan gibt es viele Arten von *Higashi*. Dazu zählt nicht nur Süßes, sondern auch Salziges, Scharfes oder Würziges.

酒

☐ 酒は白米から造る日本の伝統的なアルコール飲料です。

☐ 酒を造るには、米を蒸して麹と水を加える複雑な工程があります。

☐ ドイツ語で、日本酒は「ライスヴァイン」ともいいます。

☐ 酒のことをドイツ語で「ライスヴァイン」といいますが、アルコール度数もワインと同じくらいです。

☐ 酒は、冷やにも、常温にも、ぬる燗にも、熱燗にもできます。

☐ 酒は、冷やにも、常温にも、ぬる燗にも、熱燗にもできます。その温度によって酒の味わいも変わってきます。

☐ 長いこと熱燗でのむのが一般的でしたが、酒の美味しい飲み方は銘柄や季節によって変わります。

☐ 暑くて湿気の多い夏場は、冷やが爽快ですし、寒い夜には熱燗こそがおすすめです。

☐ 酒は銘柄によって味が異なります。自分の好みで、甘口から辛口まで選ぶことができます。

☐ ワインと同じように、酒も大手メーカーだけでなく、地方特有の小規模な醸造所もたくさんあります。

☐ 地方にある醸造所の酒は地酒といわれ、とても人気があります。

☐ 醸造所ごとに異なる手法で酒を作ります。そのため、辛口から甘口までさまざまな酒が味わえます。

Sake

Sake, ein traditionelles alkoholisches Getränk in Japan, wird aus poliertem Reis hergestellt.

Die Herstellung von *Sake* ist ein komplizierter Prozess, bei dem Reis gedämpft wird und eine Malzart und Wasser hinzugegeben werden.

Auf Deutsch wird *Sake* auch „Reiswein" genannt.

Auf Deutsch wird *Sake* auch „Reiswein" genannt. Auch der Alkoholgehalt ist mit dem von Wein vergleichbar.

Sake kann man kalt, bei Raumtemperatur, warm und heiß trinken.

Sake kann man kalt, bei Raumtemperatur, warm und heiß trinken. Der Geschmack ändert sich mit der Temperatur.

Lange Zeit wurde *Sake* meistens heiß getrunken, doch die beste Art, ihn zu trinken, hängt von Marke und Jahreszeit ab.

Im heiß-schwülen Sommer ist kalter *Sake* erfrischend, doch in kalten Nächten macht heißer *Sake* schön warm.

Je nach Marke schmeckt *Sake* anders. Von trocken bis lieblich ist für jeden Geschmack etwas dabei.

Wie bei Wein gibt es nicht nur Großbetriebe für *Sake*, sondern auch kleine Betriebe, die Besonderheiten ihrer Region in ihrem Produkt einfangen.

Sake aus solchen Kleinbetrieben wird *Jizake* genannt und ist sehr beliebt.

Bei jedem Betrieb weicht die Herstellungsmethode etwas ab. Entsprechend kann man von trocken bis lieblich viele verschiedene Aromen probieren.

☐ 大きな百貨店や酒屋には、日本中の醸造所で造られたいろいろな銘柄があります。

☐ 純米酒とはアルコールを使わず、米と米麹だけで造ります。

☐ 本醸造酒とは、加えるアルコールの量が、使われる米の総重量の10%に制限されたものです。

☐ 吟醸酒とはよりすっきりした味わいの酒を造るために、60パーセント以下に精米した白米を使います。

☐ 大吟醸酒とは、50パーセントに精米した白米を使った上質な酒です。

☐ 生酒とはいっさい加熱処理をしていない酒のことです。

☐ ワインテイスティングのように、利き酒という酒の味見も面白い経験となるでしょう。

☐ ぬる燗や熱燗で酒を飲むときは、陶製の徳利とお猪口という器を使います。

☐ 冷酒は普通、ガラスのコップで飲みます。

☐ 常温の酒を飲む時は、木製の升という器で飲みます。

☐ 杉でできた升のいい匂いで、酒の味が引き立ちます。

☐ 酒は料理の際にも、味を深めるために使われます。

☐ 酒は神道にとっても重要な意味を持つ飲み物です。

☐ 酒は神に供えられるので、神道の儀式では聖水と見なされています。

Große Kaufhäusern und Spirituosenhändler bieten Marken aus vielen Betrieben und Regionen Japans an.

Bei der Herstellung von *Junmaishu* wird kein Alkohol hinzugegeben, sondern nur Reis und gemälzter Reis.

Bei *Honjōzōshu* dürfen höchstens 10 % des Gewichts des Reises als Alkohol zugegeben werden.

Um den besonders klaren Geschmack von *Ginjōshu* zu erreichen, darf der dafür verwendete Reis höchstens zu 60 % poliert sein.

Für *Daiginjōshu* darf der dafür verwendete Reis sogar höchstens zu 50 % poliert sein. Damit stellt er höchstklassigen *Sake* dar.

Namazake ist *Sake*, der keinerlei Hitzebehandlung erfahren hat.

Ähnlich wie bei einer Weinprobe kann man bei einer *Kikizake Sake* probieren, was man einmal gemacht haben sollte.

Warmer und heißer *Sake* wird in einem *Sake*-Fläschchen aus Keramik (*Tokkuri*) serviert und aus einem *Sake*-Schälchen (*Ochoko*) getrunken.

Kalter *Sake* wird normalerweise aus einem Glas getrunken.

Sake, der bei Raumtemperatur serviert wird, wir in einem Holzkästchen, das *Masu* genannt wird, getrunken.

Dieses Kästchen ist aus wohlriechendem japanischen Zedernholz, das den Geschmack des *Sake* gut zur Geltung bringt.

Sake wird zu Speisen gereicht, um deren Geschmack zu intensivieren.

Sake ist ein Getränk, das im Shintōismus eine wichtige Bedeutung hat.

Da *Sake* eine Opfergabe an die Götter ist, könnte man es im Rahmen shintōistischer Riten als eine Art Weihwasser ansehen.

□ 神に供える酒をお神酒（おみき）といいます。

□ 日本人の友人と一緒であれば、酒やビールを相手のコップに注いであげるのは普通のことです。

□ 一緒に飲んでいる相手に酒を注ぐ習慣をお酌といいます。

□ 最初の一杯を飲み始める時には、「乾杯！」といいます。

□ 「乾杯」とは杯の酒を飲み干すという意味です。

□ 日本では乾杯したときに、中国のように酒を飲み干す必要はありません。

焼酎

□ 焼酎は日本の蒸留酒で、米、麦、芋、黒糖などから造られます。

□ 酒と同様、日本中に焼酎の蒸留所が多数あります。

□ 鹿児島県はサツマイモで造る焼酎で有名です。

□ 泡盛は沖縄の有名な焼酎で、地元の米で造ります。

□ 黒糖で造る焼酎は、日本の南の島々で人気があります。

□ 焼酎をベースにした焼酎カクテルも人気で、いろいろな種類が楽しめます。

□ 伝統的に焼酎はお湯割りで飲まれていました。

□ 昨今、焼酎をロックで飲むのが流行っています。

Den Göttern dargebotener *Sake* wird *Omiki* genannt.

Wenn man mit Japanern trinkt, ist es üblich, nicht sich selbst, sondern nur den anderen einzuschenken.

Jemand anderem einzuschenken nennt man *Oshaku*.

Bevor man das erste Glas trinkt, sagt man „Kampai!".

„Kampai" bedeutet, dass man sein Glas austrinkt.

Allerdings muss man in Japan dann sein Glas nicht tatsächlich austrinken – im Gegensatz zu China.

Shōchū

Shōchū ist ein japanischer Schnaps aus Reis, Gerste, Süßkartoffel, Zuckerrohr oder anderem.

Wie bei *Sake* gibt es in Japan eine Vielzahl von Destillerien für *Shōchū*.

Die Präfektur Kagoshima ist bekannt für ihren *Shōchū* aus Süßkartoffeln.

Okinawa ist für ihren *Awamori* bekannt, einen *Shōchū*, der aus dem Reis der Region destilliert wird.

Auf den südlichen Inseln Japans ist *Shōchū* aus Zuckerrohr beliebt.

Es gibt auch einige *Shōchū*-Cocktails, die zum Probieren einladen.

Traditionellerweise wird *Shōchū* mit warmem Wasser verdünnt getrunken.

Heutzutage findet auch das Trinken von *Shōchū* auf Eis Freunde.

知っておきたいドイツのこと❷

　ドイツは言わずと知れたビール大国です。ビールの種類は5000以上、醸造所は1350箇所以上と言われています。その消費量も多く、日本人のほぼ倍量のビールを飲んでいるとのこと。ピルスナー、ヴァイスビアなど様々なタイプのボックやラガーなど、ドイツ発祥の多種多様なスタイルのビールがあります。さて、ここではドイツのお料理事情を見てみましょう。

Bratwurst　ブラートヴルスト

　豚肉、牛肉、子牛肉から作るソーセージ。その歴史は1313年まで遡ることができるとされている。

Sauerkraut　ザワークラウト

　キャベツを発酵させたもので、ソーセージなどの肉料理の付け合わせとして用いられる。

Sauerbraten　ザウアーブラーテン

　牛肉をマリネしてからじっくりと蒸し煮にする。ドイツの国民食の１つとも言われている。

Pretzel (Brezel)　プレッツェル

パン生地から作られる焼きパンの一種で、ドイツ伝統のスナック。

Currywurst　カリーヴルスト

　ドイツ中、至る所で食べられる庶民の味。焼いたソーセージにケチャップやカレー粉などをまぶした料理。

第 3 章

日本の四季と生活

季節と生活
習慣とマナー

日本の四季

Jahreszeiten in Japan

Kagami-Mochi – flacher, runder Reiskuchen
鏡餅

Kadomatsu – traditionelle Dekoration zu Neujahr
門松 *p.117*

Karuta – traditionelles Kartenspiel
カルタ *p.119*

Hina-ningyō – Puppen zum Mädchenfest am 3. März
ひな人形 *p.123*

Hanami – Feier zur Kirs
花見 *p.125*

Koi-nobori – karpfenartige
Banner zum Jahresfest für
Jungen am 5. Mai
鯉のほり *p.123*

Tanabata – Fest am
7. Juli, das auf einer
Sternenlegende beruht
七夕 *p.129*

O-tsukimi – Mondschau
お月見 *p.131*

O-chūgen und O-seibo –
Geschenk zur Jahresmitte
bzw. zum Jahresende
お中元・お歳暮 *p.131*

Shichi-Go-San – Fest zum 3., 5. und
7. Geburtstag
七五三 *p.131*

113

季節と生活

お正月の過ごし方から、花見、節句、お彼岸、お月見、そしてクリスマスから大晦日と、日本の1年を四季をおって紹介します。

導入

☐ 日本の生活や習慣は、季節の移り変わりと深くかかわっています。

☐ 日本は農業国だったので、人々の生活は季節の移り変わりに強く影響されました。

☐ 日本は温帯にあるので四季の変化が明瞭です。そのことが人々の生活や習慣にも深く関わっています。

☐ 世界の多くの場所がそうであるように、日本でも季節の移り変わりに応じて、様々な行事やお祭り行われます。

☐ 日本の行事や祭りは、地域に古くから伝わる言い伝えや風習の影響が色濃く残っています。

正月

☐ お正月とは、新年のことです。

☐ 新年を迎えて初めて人と会ったときは、「明けましておめでとうございます」と言います。

☐ お正月とは新年を意味し、日本人にとっては最も重要な祝日です。

☐ 日本人は、12月末から1月初旬の間に休暇を取ります。

☐ 日本人は、12月末から1月初旬の間に休暇を取り、お正月を家族と過ごします。

Einleitung

Das Leben und die Gebräuche in Japan sind tief mit den Jahreszeiten verbunden.

Da Japan eine Agrarnation war, hatte der Übergang von einer Jahreszeit zur nächsten großen Einfluss auf das Leben der Leute.

Da Japan in der gemäßigten Zone liegt, unterscheiden sich die vier Jahreszeiten deutlich. Daher sind das Leben und die Gebräuche tief mit den Jahreszeiten verbunden.

Wie an vielen Orten der Welt richten sich auch in Japan die Veranstaltungen und Feste nach dem Wechsel der Jahreszeiten.

Japanische Veranstaltungen und Feste sind stark von lokalen Traditionen und Bräuchen geprägt, die von Generation zu Generation weitergegeben werden.

Neujahr

Neujahr heißt auf Japanisch *Oshōgatsu*.

Wenn man nach dem Jahreswechsel zum ersten Mal jemanden trifft, grüßt man ihn mit „Akemashite omedetō gozaimasu."

Oshōgatsu bedeutet „Neujahr" und ist der wichtigste Feiertag in Japan.

Japaner haben von Ende Dezember bis Anfang Januar frei.

Japaner haben von Ende Dezember bis Anfang Januar frei und verbringen Neujahr mit der Familie.

正月の習慣

☐ お正月には、日本人は伝統的な習慣に従います。

☐ 初詣とは、新年になって初めて社寺に参拝することです。

☐ 年賀状とは新年を祝って交換される葉書のことです。

☐ 年賀状は新年を祝って書き送るハガキのことですが、最近では若い人を中心にメールで年賀状の代わりにしています。

☐ 新年になって初めて仕事をすることを仕事始めといいます。1月4日から働き始めるところが多いです。

☐ 初荷とは年が明けて初めて出荷される荷物のことです。トラックに幟を立てるなどして荷物を運びました。

☐ 門松とは、お正月を迎えるために竹と松で作られた伝統的な飾りのことです。

☐ しめ縄飾りとは、藁と紙でできた特別な正月飾りのことです。

☐ しめ縄飾りとは、藁と紙でできた特別な正月飾りのことで、邪気を払うために玄関に飾ります。

Gebräuche zu Neujahr

Japaner feiern Neujahr mit althergebrachten Bräuchen.

Hatsumōde ist der erste Tempel- bzw. Schreinbesuch im neuen Jahr.

Nengajō sind Postkarten, die sich Japaner zur Feier des neuen Jahres schicken.

Nengajō sind Grußkarten, die sich Japaner zur Feier des neuen Jahres schicken. In letzter Zeit schicken junge Leute jedoch seltener Karten und eher E-Mails.

Das erste Mal im neuen Jahr arbeiten zu gehen wird *Shigoto hajime* genannt. Viele Leute fangen am 4. Januar wieder mit der Arbeit an.

Die erste Warenlieferung im neuen Jahr heißt *Hatsuni*. Zu deren Auslieferung werden lange Banner an die LKW gesteckt.

Kadomatsu ist eine traditionelle Dekoration zu Neujahr, die aus Bambus und Kiefernnadeln hergestellt wird.

Shimenawakazari ist ein besonderer Neujahrsschmuck aus Stroh und Papier.

Shimenawakazari ist ein besonderer Neujahrsschmuck aus Stroh und Papier. Er wird an die Haustür gehängt, um böse Geister abzuhalten.

初詣（湯島天神・東京都）

正月の料理

☐ おせち料理とは、正月用に特別に調理され重箱
に詰められた食べ物です。

☐ 伝統的に日本人はお正月には家族とおせち料
理を食べます。おせち料理とは、正月用に特別
に調理され重箱に詰められた食べ物です。

☐ 日本人はお正月には、重箱に詰められたおせち料理と餅を食べます。

☐ 日本人はお正月に、お屠蘇という薬酒を飲みます。

☐ お屠蘇とは薬酒でお正月に飲まれます。

☐ 一般的に、お正月は1月7日までです。

☐ 一般的に、お正月は1月7日までです。その日は、春の七草を入れたお粥を食べます。
その粥は、七草粥と呼ばれます。

正月の遊び

☐ お正月には伝統的に、男の子は凧揚げを楽しみます。

☐ 百人一首カルタとは、お正月に行われるカードゲームです。中世の代表的な歌人
100人の和歌の上の句と下の句を合わせる遊びです。

☐ お正月に、子供たちはカルタという伝統的なカードゲームを楽しみます。女の子は
羽根つきをします。

☐ 羽根つきとはバドミントンのようなもので、お正月の女の子たちの遊びです。

☐ 羽根つきで使うラケットは羽子板と呼ばれ、装飾を施したものがあります。

Neujahrsessen

O-sechiryōri ist ein nur zu Neujahr zubereitetes Essen, das in einem besonderen, mehrstöckigen Kästchen (*Jūbako*) serviert wird.

Traditionell essen Japaner *O-sechiryōri* mit ihrer Familie an Neujahr. *O-sechiryōri* ist ein nur zu Neujahr zubereitetes Essen, das in einem besonderen, mehrstöckigen Kästchen (*Jūbako*) serviert wird.

Japaner essen zu Neujahr Essen, das in einem mehrstöckigen Kästchen serviert wird, und Reiskuchen (*Mochi*).

Zu Neujahr trinken Japaner ein alkoholisches Getränk mit medizinischen Eigenschaften namens *O-toso*.

O-toso ist ein alkoholisches Getränk mit medizinischen Eigenschaften, das zu Neujahr getrunken wird.

Normalerweise ist die Neujahrszeit am 7. Januar zu Ende.

Normalerweise ist die Neujahrszeit am 7. Januar zu Ende. An diesem Tag wird ein Reisbrei mit den sieben Frühlingskräutern (Brunnenkresse, Hirtentäschel, Baumwollgras, Vogelmiere, Taubnessel, Kohlrübe und Rettich) gegessen. Dieser Reisbrei heißt *Nanakusagayu*.

Spiele zu Neujahr

Jungen lassen zu Neujahr traditionellerweise Drachen steigen.

Hyakunin isshu karuta ist ein Kartenspiel, das an Neujahr gespielt wird. Bei diesem Spiel muss man den Anfang und das Ende von klassischen japanischen Reimen aus dem Mittelalter, die von 100 Poeten geschrieben wurden, zusammenfügen.

An Neujahr spielen Kinder gerne ein Kartenspiel, das *Karuta* heißt. Mädchen spielen Federball.

Mädchen Spielen an Neujahr *Hanetsuki*, das Federball sehr ähnlich ist.

Der Schläger für *Hanetsuki* heißt *Hagoita*, der mit Ornamenten verziert ist.

節分

☐ 節分とは、春の始まりとされる立春の前日のことです。

☐ 1年を健やかに過ごせるようにと、節分の日には豆まきをする習慣があります。

☐ 節分の日には、厄除け、福を呼び込むという意味で豆まきをする習慣があります。

バレンタインデー

☐ 日本ではバレンタインデーに女性から男性にチョコレートを贈るのが一般的です。

☐ 日本のバレンタインデーの特徴は、女性だけが男性にチョコレートを贈ることです。

☐ バレンタインデーにチョコレートを贈る習慣は、日本の製菓会社が始めたとされています。

☐ チョコレートは好きな人だけでなく職場の上司や同僚にも贈ります。

☐ 職場の上司や同僚に贈るチョコレートは、「義理チョコ」と呼ばれます。文字通り、愛はないけれど義理で贈るチョコレートという意味です。

☐ バレンタインデーの1ヶ月後には、男性が女性にホワイトチョコレートのお返しをします。

☐ 男性が女性にホワイトチョコレートを贈る日をホワイトデーといいます。この習慣も製菓会社の販売戦略で始まったものです。

お彼岸

☐ 春分の日と秋分の日の前後7日間を、日本では「お彼岸」と呼びます。

☐ お彼岸の間、人々は先祖のお墓参りをして、感謝の気持ちを伝えます。

Setsubun

Setsubun ist der letzte Tag vor Frühlingsbeginn.

Um für Gesundheit für das Jahr zu bitten, gibt es einen Brauch, bei dem Bohnen geworfen werden.

Zu *Setsubun* gibt es einen Brauch, bei dem Bohnen geworfen werden, um Böses zu vertreiben und Glück zu holen.

Valentinstag

Am Valentinstag in Japan geben Frauen Männern Schokolade.

Das Einzigartige am Valentinstag in Japan ist es, dass Frauen Männern Schokolade geben.

Es wird angenommen, dass der Brauch, am Valentinstag Schokolade zu verschenken, von japanischen Süßwarenherstellern erfunden wurde.

Dabei wird Schokolade nicht nur an Leute verschenkt, die man mag, sondern auch an Vorgesetzte und Kollegen.

Die Schokolade, die an Vorgesetzte und Kollegen verschenkt wird, wird *Giri choco* genannt. Wörtlich bedeutet dies, dass man die Schokolade nicht aus Liebe, sondern als Pflicht verschenkt.

Einen Monat nach Valentinstag schenken Männer Frauen weiße Schokolade zurück.

Der Tag, an dem Männer Frauen weiße Schokolade zurückschenken, heißt White Day. Auch dieser „Brauch" wurde von Süßwarenherstellern als verkaufsfördernde Maßnahme geschaffen.

O-higan

Die Frühlings-Tagundnachtgleiche, die Herbst-Tagundnachtgleiche sowie die jeweils drei Tage davor und danach werden in Japan *O-higan* genannt.

In dieser Zeit werden die Gräber der Ahnen besucht, um sich bei ihnen zu bedanken.

☐ 春分の日と秋分の日は、国民の祝日です。日本人は故郷に帰って、家族と一緒にお墓参りをします。

桃の節句・端午の節句

☐ 節句は、古代中国からきた習慣であり、3月と5月の節句では、子どもたちの健康と将来を祝います。

☐ 3月3日は女の子、5月5日は男の子の節句です。

☐ 3月3日は、桃の節句と呼ばれています。太陰暦で桃の花が咲く季節だからです。

☐ 3月3日の節句は女の子のためのもので、親は階段状の台に雛人形を飾ります。

☐ 雛人形は平安時代の宮中を模した人形です。通常、お菓子、お酒、桃の花などと一緒に飾られます。このことから、3月3日の節句を「雛祭り」と呼びます。

☐ 5月5日は端午の節句と呼ばれ、男の子のためのものです。

☐ 男の子がいる家では、鯉を模したのぼりを戸外に立てます。男の子が元気に強く育つことを願うのです。

☐ 鯉のぼりとは鯉を模した管状の吹き流しで、5月5日の男の子の節句を祝うものです。

☐ 端午の節句に男の子の成長を祝って、侍の人形やミニチュアの兜を飾ります。

桜と花見

☐ 桜の花は、日本では春のシンボルです。

☐ 桜の花はわずか1週間ぐらいしかもちません。

Die Frühlings-Tagundnachtgleiche und die Herbst-Tagundnachtgleiche sind nationale Feiertage. Japaner fahren in ihre Heimatstadt zurück und besuchen dort mit ihrer Familie Familiengräber.

Momo-no-sekku und Tango-no-sekku

Jahresfeste sind eine aus dem alten China übernommene Tradition. Im März und Mai bittet man um Gesundheit und eine gute Zukunft für die Kinder.

Am 3. März gibt es ein Jahresfest für Mädchen, am 5. Mai für Jungen.

Das Jahresfest am 3. März heißt *Momo-no-sekku*. Nach dem Mondkalender ist dies die Zeit, in der Pfirsiche (*Momo*) blühen.

Am 3. März gibt es ein Jahresfest für Mädchen, an dem Eltern ein Podium aufstellen und mit *Hina*-Puppen dekorieren.

Die *Hina*-Puppen sind dem kaiserlichen Hofe zur Heian-Zeit nachempfunden. Normalerweise gehören auch Süßigkeiten, Knabberartikel, Alkohol und Pfirsichblüten zur Dekoration. Deshalb heißt das Fest am 3. März auch *Hinamatsuri* (Puppenfest).

Das Jahresfest für Jungen am 5. Mai heißt *Tango-no-sekku*.

Familien mit Jungen lassen draußen Banner steigen, die Karpfen nachempfunden sind. Hiermit wird der Wunsch zum Ausdruck gebracht, dass die Jungen stark und gesund werden.

Das Jahresfest für Jungen am 5. Mai wird mit *Koinobori* begangen. Dabei lässt man draußen Banner steigen, die Karpfen nachempfunden sind.

Es werden auch Samurai-Puppen und Mini-Helme aufgestellt, damit die Jungen gesund und munter aufwachsen.

Sakura und Hanami

Kirschblüten sind Japan ein Symbol des Frühlings.

Kirschbäume blühen lediglich etwa eine Woche lang.

- [ ] 桜前線とは、開花日が等しい地点を結んだ線で、南から北へと日本列島を移動します。

- [ ] 日本人は桜の開花を春到来のしるしにしています。

- [ ] 桜の開花日をカウントダウンするために、日本人は天気予報で桜前線ということばを使います。

- [ ] 桜前線とは、桜が開花する前線のことです。それは南から北上してくる春の到来を象徴するものです。

- [ ] 春は南から北上してくるので、日本人は桜の開花を春の到来であると見なします。

- [ ] 一般的に、桜前線は3月の終わりに九州に到達します。

- [ ] 一般的に、桜前線は3月の終わりに九州に到達します。そして、日ごとに日本列島を北上していきます。

- [ ] 日本人は桜の花の下でのピクニックを楽しむことが好きです。

- [ ] 日本人は桜の花を見ながら宴会を楽しみます。この習慣を日本語で「花見」と言います。

Die Kirschblütenfront (*Sakurazensen*) ist eine Linie, die Punkte mit gleichem Blütezeitpunkt verbindet und von Süden nach Norden über die japanischen Inseln verläuft.

Für Japaner ist das Blühen der Kirschbäume ein Zeichen, dass der Frühling gekommen ist.

Um die Tage bis zur Kirschblüte zu zählen, verwenden Japaner bei der Wettervorhersage den Begriff Kirschblütenfront.

Die Kirschblütenfront ist eine Front, die darstellt, wo die Kirschbäume blühen. Diese zieht von Süden nach Norden und stellt das Kommen des Frühlings dar.

Da der Frühling zuerst im Süden beginnt und sich dann nach Norden ausbreitet, ist für Japaner die Kirschblüte ein Zeichen, dass der Frühling gekommen ist.

In der Regel beginnt die Kirschblütenfront Ende März in Kyushu.

In der Regel beginnt die Kirschblütenfront Ende März in Kyushu. Danach zieht sie jeden Tag ein Stück weit nach Norden über die japanischen Inseln.

Japaner picknicken gerne unter blühenden Kirschbäumen.

Japaner essen und trinken gerne mit Blick auf Kirschblüten. Dieser Brauch wird auf Japanisch *Hanami* genannt.

ゴールデンウィーク

- [ ] ゴールデンウィークとは4月末から5月初旬にかけての期間のことで、何日かの休日が続きます。

- [ ] ゴールデンウィークには、日本人は仕事を休んで休暇を楽しみます。

- [ ] ゴールデンウィークは晩春の時期であり、天気がとてもよく、多くの人が家族や友だちと外で時間を過ごします。

- [ ] ゴールデンウィーク中は、電車、飛行機、高速道路などがとても混雑します。

衣替え

- [ ] 衣替えとは、6月1日と10月1日にそれぞれ夏服と冬服に取り替える日本人の習慣のことです。

- [ ] 多くの場合、衣替えは制服を着用しているところで行われます。

- [ ] 衣替えは、ほとんどの学校、工場、百貨店など、制服着用の職場で、年に2度行われます。

- [ ] 多くの会社には気候に合わせた2種類の制服があり、従業員に年に2回着替えさせるようにしています。この習慣を日本で衣替えと呼びます。

夏の風物詩

- [ ] 夏になると日本人は、「ビアガーデン」と呼ばれるビルの屋上に設置された店でビールを楽しみます。

- [ ] 夏には、仏教の習慣に基づいた伝統的な祭りが日本全国で行われます。

Golden Week

Die *Golden Week* ist eine Zeit zwischen Ende April und Anfang Mai, in die mehrere aufeinanderfolgende Feiertage fallen.

In der *Golden Week* können Japaner eine Zeit ohne Arbeit genießen.

Da die *Golden Week* am Ende des Frühlings ist, ist das Wetter sehr gut. Daher verbringen viele Leute mit ihrer Familie oder mit Freunden Zeit im Freien.

Während der *Golden Week* sind Züge, Flugzeuge, Autobahnen usw. überfüllt.

Koromogae

Koromogae ist ein Brauch von Japanern, am 1. Juni und 1. Oktober zwischen Sommer- und Winterkleidung zu wechseln.

Dies wird an vielen Orten, an denen eine Uniform getragen werden muss, getan.

Koromogae wird an fast allen Schulen, Fabriken, Kaufhäusern und anderen Arbeitsplätzen, an denen eine Uniform getragen wird, zweimal im Jahr durchgeführt.

Viele Firmen haben zwei Arten von Uniformen, die an das Wetter angepasst sind, daher müssen Angestellte zweimal im Jahr von einer Uniformart zur anderen wechseln. Dieser Brauch wird auf Japanisch *Koromogae* genannt.

Sommeraktivitäten

Wenn es Sommer wird, trinken Japaner gerne in „Biergärten", die sich allerdings auf dem Dach von Gebäuden befinden.

Im Sommer gibt es in ganz Japan traditionelle Feste, die auf buddhistische Bräuche zurückgehen.

第 3 章 日本の四季と生活

季節と生活…ゴールデンウィーク／衣替え／夏の風物詩

- [ ] 七夕は7月7日に行われる祭りで、星の伝説に基づいています。

- [ ] 星座の伝説によると、愛する2人が天の川によって引き裂かれ、1年に1度、7月7日の七夕の間だけ会うことができるのです。

- [ ] 七夕には竹を立てて、願い事書いた紙をその枝に結びつけます。

- [ ] 全国高校野球大会は日本人に最も人気のある夏のイベントの1つです。

- [ ] 毎夏、全国高校野球大会が甲子園球場で開催されます。

お盆

- [ ] お盆とは夏に行われる伝統的な行事で、人々は家族と一緒にお墓参りに行きます。

- [ ] お盆は仏教の習慣に基づく重要な休日であり、日本人は先祖に敬意を表します。

- [ ] 多くの人たちはお盆の間に1週間の休みを取り、家族と過ごします。

- [ ] お盆の時期になると帰省する人が多いので、空港や駅などは大変混雑します。

- [ ] 長崎では、お盆に精霊流しが行われます。

- [ ] 精霊流しとは、灯篭を川に流す行事です。灯篭はこの1年以内に亡くなった人たちの魂を象徴したものです。

- [ ] 8月15日は、第二次世界大戦終戦記念日です。

- [ ] 8月15日はお盆と第二次世界大戦の終戦記念日が重なります。

Tanabata ist ein Fest am 7. Juli, das auf einer Sternenlegende beruht.

Nach der Legende des Sternbilds sind zwei Liebende durch die Milchstraße getrennt und können sich nur einmal im Jahr treffen, nämlich zu *Tanabata* am 7. Juli.

Zu *Tanabata* werden Bambusse aufgestellt, an die man ein Stück Papier mit einem Wunsch heften kann.

Eines der beliebtesten Sommerereignisse in Japan ist die landesweite Oberschulen-Baseballmeisterschaft.

Jeden Sommer findet die landesweite Oberschulen-Baseballmeisterschaft im Kōshien-Baseballstadion statt.

O-bon

O-bon ist ein im Sommer begangener, traditioneller Brauch, bei dem die Familie gemeinsam Gräber besucht.

O-bon ist ein auf buddhistischem Ritus basierender, wichtiger Feiertag, an dem Japaner ihren Ahnen Respekt erweisen.

Viele nehmen um *O-bon* eine Woche Urlaub, den sie mit ihrer Familie verbringen.

In der *O-bon*-Zeit besuchen viele Menschen ihre Heimatstädte, weswegen Flughäfen, Bahnhöfe und andere Verkehrswege überfüllt sind.

In Nagasaki begeht man zu *O-bon Shōrō nagashi*.

Dabei setzt man Laternen und anderes auf einem Fluss aus. Die Laternen stellen die Seelen derjenigen dar, die seit dem letzten Mal gestorben sind.

Am 15. August ist der Jahrestag zum Ende des Zweiten Weltkriegs.

Am 15. August überschneiden sich *O-bon* und der Jahrestag zum Ende des Zweiten Weltkriegs.

☐ 8月15日は、第二次世界大戦終戦記念日です。この戦争中に300万人以上の兵士と民間人が亡くなったので、日本人にとっては非常に重要な日です。

秋の風物詩

☐ 日本では、秋は読書やスポーツを楽しむ季節であるといわれています。

☐ 昔から日本人は、9月中旬の満月を見ることをとても好みました。この習慣は日本語で「月見」といいます。

☐ 太陰暦では、菊を楽しむ季節は9月でしたが、西洋暦では10月になります。

☐ 秋になって葉が色を変え始めると、日本人は山へ行ったり、京都などの伝統的な町を訪れます。

☐ 秋は収穫祭の時期です。

七五三

☐ 七五三とは、11月15日に行われる7歳、5歳、3歳児を祝う年中行事で、男の子は5歳になったとき、女の子は3歳と7歳になったときに祝います。

☐ 5歳になった男の子や3歳か7歳になった女の子が可愛らしい着物を着て神社をお参りし、健康と将来の成功を祈ります。

お中元とお歳暮

☐ 真夏と年末には、感謝の意を込めて贈りものを交わします。

☐ お中元とは、お世話になった人、助けてくれた人などに贈り物をすることです。

☐ お中元は、7月中旬から8月中旬の間に贈られるのが一般的です。

☐ お中元は夏の間に贈るギフトのことで、飲み物や果物、食品などが好まれます。

Am 15. August ist der Jahrestag zum Ende des Zweiten Weltkriegs. Da in diesem Krieg über 3 Millionen Soldaten und Zivilisten ums Leben kamen, ist dies ein äußerst bedeutsamer Tag für Japaner.

Herbstaktivitäten

Es heißt, dass der Herbst in Japan eine Jahreszeit ist, die man mit Lesen und Sport verbringt.

Schon seit langer Zeit ist es Japanern eine große Freunde, den Vollmond Mitte September anzusehen. Dieser Brauch wird auf Japanisch *Tsukimi* genannt.

Nach dem Mondkalender blüht die Chrysantheme im September am schönsten, was nach dem gregorianischen Kalender der Oktober ist.

Wenn es Herbst wird und sich langsam das Laub verfärbt, zieht es Japaner in die Berge und nach traditionellen Städten wie Kyoto.

Im Herbst findet auch das Erntedankfest statt.

Shichi-Go-San

Shichi-Go-San ist ein jährliches Fest am 15. November zur Feier von 7-, 5- und 3-jährigen Kindern. Dieses Fest wird nach dem fünften Geburtstag von Jungen und nach dem dritten und siebten Geburtstag von Mädchen gefeiert.

Die fünfjährigen Jungen und die drei- und siebenjährigen Mädchen ziehen niedliche Kimonos an und besuchen einen Schrein, um für Gesundheit und künftigen Erfolg zu beten.

O-chūgen und O-seibo

Zu Mittsommer und Jahresende werden Geschenke ausgetauscht, um Dankbarkeit auszudrücken.

O-chūgen ist ein Geschenk für Personen, die geholfen, unterstützt oder einen Gefallen getan haben.

Normalerweise wird das *O-chūgen* zwischen Mitte Juli und Mitte August verschenkt.

Da das *O-chūgen* ein Geschenk ist, das man im Sommer verschenkt, besteht es oft aus Getränken, Früchten oder Lebensmitteln.

☐ お歳暮とは、助けてくれたり、気にかけてくれてお世話になった人に年末に贈り物をすることです。

☐ 真夏や年末は、お中元やお歳暮があるため日本のデパートにとって稼ぎ時です。

クリスマスと忘年会

☐ クリスマスの時期になると、人々は買い物、食事、恋愛を楽しみます。

☐ ほとんどの日本人にとって、クリスマスは宗教的なイベントではありません。ただ、買い物や食事や恋愛にときめく季節なのです。

☐ 12月になると多くの日本人は、忘年会という宴会を開きます。そこで飲んだり食べたりして一年の締めくくりをします。

☐ 忘年会とは日本人が年末に開く宴会のことで、お互いに感謝し合い、お酒や食事を楽しみます。

☐ 仕事をしている人たちは、会社主催、部署主催、そして取引先との忘年会に参加するために忙しく、予定を合わせなければなりません。

大晦日

☐ 12月31日は大晦日と呼ばれます。

☐ 大晦日やその前日、日本人は大掛かりな家の掃除をします。

☐ 新年を祝って書き送る葉書のことを年賀状といいます。年内に投函し、元日に届くことが大切です。

☐ 大晦日の夜、多くの人は新年を迎える習慣としてそばを食べます。

☐ 大晦日のテレビ番組で人気なのは、多くの歌手や有名人が出演する紅白歌合戦です。

O-seibo ist ein Geschenk, das man am Jahresende Personen gibt, die einem geholfen, unterstützt, einen Gefallen getan oder sich auf andere Art und Weise um einen bemüht gemacht haben.

Wegen dieser Geschenke verzeichnen Kaufhäuser um Mittsommer und am Jahresende besonders hohe Umsätze.

Weihnachten und Bōnenkai

In der Weihnachtszeit vergnügen sich viele die Zeit mit Shoppingtouren, gutem Essen oder mit dem Freund bzw. der Freundin.

Für die allermeisten Japaner ist Weihnachten kein religiöses Fest. Es ist eine Zeit für Shoppingtouren, gutes Essen und die Liebe.

Im Dezember veranstalten viele Japaner eine Feier, die *Bōnenkai* genannt wird. Dort wird gegessen und getrunken, um das Jahr ausklingen zu lassen.

Bōnenkai ist eine Feier zum Jahresende, bei der man sich gegenseitig dankt, trinkt und isst.

Da im Berufsleben stehende Menschen an den *Bōnenkai* ihrer Firma, Abteilung, Kunden und Geschäftspartner teilnehmen müssen, haben sie viel zu tun und müssen die Termine aufeinander abstimmen.

Silvester

Silvester wird in Japan *Ō-misoka* genannt.

An Silvester und dem Tag davor wird zu Hause gründlich geputzt und aufgeräumt.

Zur Feier des neuen Jahres werden Grußkarten verschickt, die *Nengajō* heißen. Dabei ist es wichtig, dass sie noch vor Jahresende verschickt werden, damit sie an Neujahr ankommen.

Viele Leute essen aus Tradition an Silvester *Soba*, um das neue Jahr willkommen zu heißen.

Eines der Fernsehprogramme mit den höchsten Einschaltquoten zu Silvester ist *Kōhaku uta gassen*, in dem viele Sängerinnen, Sänger und Prominente auftreten.

□ 大晦日の真夜中頃から、僧侶は寺の鐘を108回つきます。

□ お寺の鐘を108回つく習慣は「除夜の鐘」と呼ばれ、108の煩悩を取り除く意味が込められています。

Um Mitternacht schlagen Mönche in den Tempel 108-mal eine Glocke.

Der Brauch, in Tempeln 108-mal eine Glocke zu schlagen, wird *Joya-no-kane* genannt. Damit sollen die 108 weltlichen Gelüste ausgetrieben werden.

除夜の鐘

習慣とマナー

日本の習慣やマナーをドイツ語で説明できるようになりましょう。日本にしばらく滞在する人、ビジネスで駐在するには有用な情報です。

家に招かれる

☐ 日本人は家に入るとき靴を脱ぎます。

☐ 日本人の家に入るときは靴を脱がなければなりません。

☐ 家が伝統的であろうと現代的であろうと、日本人は家に入るとき靴を脱ぎます。

☐ 伝統的な和室では、じかに床に座ります。

☐ 伝統的な和室には椅子がなく、じかに床に座ります。

☐ 座布団とは、座るための日本のクッションです。

☐ 椅子に座る代わりに、日本人は座布団という平らなクッションのようなものに座ります。

☐ 外国の人にとって、日本式に正座するのは辛いことでしょう。

☐ あぐらとは、男性が足を組んで楽に座るやり方です。

☐ 女性はあぐらではなく、正座の足を横に出して座ります。そうすれば、足を休めることができます。

☐ 日本人は居間でテレビを見る時、ソファには座らずに、床に座ることがあります。その方が楽だからです。

Track 11

Einladung nach Hause

Wenn Japaner ihr Zuhause betreten, ziehen sie die Schuhe aus.

Wenn man Japaner zu Hause besucht, muss man die Schuhe ausziehen.

Wenn Japaner ihr Zuhause betreten, ziehen sie die Schuhe aus, egal, ob es ein klassisches oder modernes Haus ist.

In traditionellen japanischen Zimmern sitzt man direkt auf dem Boden.

Da es in traditionellen japanischen Zimmern keine Stühle gibt, sitzt man direkt auf dem Boden.

Ein *Zabuton* ist ein japanisches Sitzkissen.

Anstatt auf einen Stuhl setzen sich Japaner auf ein flaches Sitzkissen, das *Zabuton* heißt.

Für Ausländer kann der japanische Fersensitz (*Seiza*) unbequem sein.

Männer dürfen sich bequem im Schneidersitz (*Agura*) hinsetzen.

Frauen sitzen nicht im Schneidersitz, dürfen aber ihre Beine zur Seite abspreizen. So kann man den Beinen eine Pause gönnen.

Wenn Japaner in einem traditionellen Wohnzimmer fernsehen, sitzen sie nicht auf einem Sofa, sondern auf dem Boden. Das soll das Vergnügen steigern.

座る位置

☐ 日本人の家に招かれると、床の間を背にした席を勧められます。

☐ 敬意を表すために、日本人は客に床の間を背にした上席に座るよう促します。

☐ 会社を訪問すると、ドアとは反対側の奥の席に座るように勧められます。

ビジネスマナー

☐ 名刺を交換することを名刺交換といいます。

☐ 自己紹介の意味をこめ、日本では最初に会った時に名刺交換をします。

☐ 肩書きや職場が変わってなければ、同じ人と次に会ったときに再び名刺交換する必要はありません。

☐ 名刺を受け取るとき、両手で受け取るのが礼儀です。

☐ 日本人相手に名刺を差し出すときは、最もタイトルの高い人に最初に手渡すことです。

☐ 名刺を交換するとき、日本人は普通、丁寧にお辞儀します。

☐ 相手が海外から来たことがわかっているときは、日本人もときには軽くお辞儀しながら握手することがあります。

☐ 名刺はその人の顔であると考えられているので、相手の前で名刺をポケットに入れるのは、いいことではありません。

☐ 受け取った名刺は着席したデスクの上に置きましょう。名刺の上下が逆さにならないよう気をつけます。

☐ 日本人と話すときはファーストネームは使わない方がいいでしょう。

☐ 日本人相手に話すときは、名字に「さん」をつけるのが一般的です。

Sitzposition

Ist man bei Japanern zu Hause, empfiehlt es sich, sich mit dem Rücken zum *Tokonoma* zu setzen.

Als Zeichen des Respekts lassen Japaner Gäste mit dem Rücken zum *Tokonoma*, dem Ehrenplatz, sitzen.

Wenn man ein Unternehmen besucht, sollte man sich in den hinteren Teil des Raumes setzen, gegenüber der Tür.

Gepflogenheiten im Geschäftsverkehr

Das Austauschen von Visitenkarten nennt man *Meishi kōkan*.

Als Teil der Selbstvorstellung gibt man sich in Japan beim ersten Treffen gegenseitig die Visitenkarte.

Soweit sich Position oder Arbeitsplatz nicht ändern, muss man beim nächsten Treffen nicht erneut eine Visitenkarte überreichen.

Erhält man eine Visitenkarte, hat man sie mit beiden Händen zu nehmen.

Bei einem japanischen Gegenüber bietet man zuerst der ranghöchsten Person die Visitenkarte an.

Beim Austauschen von Visitenkarten verbeugen sich Japaner höflich.

Wenn klar ist, dass das Gegenüber aus dem Ausland kommt, geben Japaner zuweilen auch beim Verbeugen die Hand.

Da eine Visitenkarte als Gesicht des Gegenübers gilt, ist es unhöflich, sie vor dessen Augen in die Tasche zu stecken.

Setzt man sich, legt man die erhaltenen Visitenkarten vor sich auf den Tisch. Man sollte vermeiden, bei der Visitenkarte oben und unten zu verwechseln.

Japaner spricht man besser nicht mit dem Vornamen an.

Sein japanisches Gegenüber spricht man in der Regel mit Nachnamen + *San* an.

☐ 日本の会社を訪問したときは、促されるか相手が席に着くまで座らないことです。

☐ 仕事の打ち合わせで座るときには、足を組むことはおすすめできません。

☐ 日本では公式な会合の場合には、両手を膝の上にのせ、背筋をまっすぐにするのが普通です。

☐ 仕事の打ち合わせのとき、日本人はよくコーヒーかお茶をだしますが、ホスト側が最初に口を付けてから飲むのが普通です。

お土産

☐ 日本人は旅行したときに、お土産を買って、家族に渡す習慣があります。

☐ お土産は、同僚、家族や友人にも渡します。

☐ お土産は空港や主要駅で購入することができます。典型的なお土産はチョコやクッキー、地方の珍味などです。

結婚式

☐ 結婚式は、神道かキリスト教の習慣にそって行われるのが一般的ですが、ごくまれに仏式で行われることもあります。

☐ ほとんどの場合、結婚式がカップルの信仰に基づいて行われることはありません。

☐ 披露宴とは結婚パーティーのことで、ホテルや式場の宴会場で開かれます。

☐ 披露宴で花嫁は、和装から洋装などにお色直しをします（その反対もあります）。

☐ 披露宴に招かれたら、受付で署名し、贈り物としてお祝い金を渡します。

Ist man bei einem japanischen Unternehmen zu Besuch, setzt man sich erst, wenn man darum gebeten wird oder das japanische Gegenüber sich gesetzt hat.

Es ist besser, bei geschäftlichen Besprechungen die Beine nicht zu überschlagen.

In Japan ist es bei formalen Treffen üblich, beide Hände auf den Schoß zu legen und aufrecht zu sitzen.

Bei geschäftlichen Besprechungen erhält man oft Kaffee oder Tee, aber man sollte erst dann trinken, wenn die gastgebende Seite den ersten Schluck getrunken hat.

Souvenirs

In Japan ist es Brauch, auf Reisen Souvenirs (*O-miyage*) zu kaufen, die man dann zu Hause verschenkt.

Diese Souvenirs schenkt man etwa Kollegen, Familienangehörigen oder Freunden.

Auch an Flughäfen und wichtigen Bahnhöfen kann man solche Souvenirs kaufen. Typische Souvenirs sind beispielsweise Schokolade, Kekse oder regionale Delikatessen.

Hochzeit

Hochzeiten folgen in der Regel shintöistischen oder christlichen Bräuchen, nur sehr selten buddhistischen.

In den meisten Fällen ist der Glaube des Paares für die Art der Hochzeit nicht ausschlaggebend.

Die Hochzeitsfeier wird *Hirō-en* genannt und findet in einem Bankettsaal eines Hotels oder einer Festhalle für Hochzeiten statt.

Bei der Hochzeitsfeier wechselt die Braut von japanischer in westliche Kleidung (oder umgekehrt).

Ist man zu einer Hochzeitsfeier eingeladen, unterschreibt man am Empfang und gibt dort auch sein Geldgeschenk ab.

- [ ] お祝いのお金は、祝儀袋という特別な封筒にいれ、封筒に自分の名前を書きます。

- [ ] 結納式では、婚約の印として、花婿の両親が花嫁の両親に祝いの品を贈ります。

葬式

- [ ] 故人を弔う式を日本語では葬式と呼びます。

- [ ] 葬式は故人の家の信仰にもとづいて行われます。

- [ ] お通夜は葬式の前夜に行われます。

- [ ] お通夜は葬式に似ていますが、式のあと故人の思い出を語り合うための食事があります。

- [ ] 故人の家族と親しくなければ、食事の誘いを受ける必要はありません。

- [ ] お通夜の翌日に、主たる葬儀（告別式）が執り行われます。

- [ ] 告別式にでるときには、受付で署名し、香典という現金を収めます。

- [ ] 仏教式の葬儀の場合、棺が置かれた祭壇の前に行き、焼香して合掌します。

- [ ] 焼香とは仏教式の葬儀で行われる儀式のことで、香炉に細かくした香をいれてから合掌します。

Dieses Geld wird in einem speziellen Geschenkumschlag (*Shūgi-bukuro*) überreicht, auf den man seinen Namen geschrieben hat.

Bei der Verlobungszeremonie überreichen die Eltern des Bräutigams den Eltern der Braut zur Bekräftigung der Verlobung ein Verlobungsgeschenk.

Bestattungen

Bestattungen (bzw. Begräbnisse) werden auf Japanisch *Sōshiki* genannt.

Der Glaube der verstorbenen Person ist für die Art der Bestattung ausschlaggebend.

In der Nacht auf die Bestattung wird eine Totenwache abgehalten.

Die Totenwache ähnelt der Bestattung, doch nach dieser wird zur Erinnerung an die verstorbene Person zu einem Leichenschmaus eingeladen.

Ist man mit der Familie der verstorbenen Person nicht näher bekannt, muss man die Einladung zu diesem Leichenschmaus nicht annehmen.

Am Tag nach der Totenwache findet die eigentliche Trauerfeier (*Kokubetsu-shiki*) statt.

Vor der eigentlichen Trauerfeier unterschreibt man am Empfang und überreicht ein *Kōden* genanntes Trauergeld.

Bei einer buddhistischen Trauerfeier geht man zum Sarg, der auf dem Altar steht, verbrennt Weihrauch und legt die Hände zum Gebet zusammen.

Das Verbrennen von Weihrauch ist ein Ritual bei buddhistischen Bestattungen, bei dem kleingeriebener Weihrauch in eine Räucherschale gelegt wird und danach die Hände zum Gebet zusammengelegt werden.

冠婚葬祭

- [ ] 冠婚葬祭は日本人の暮らしの中で最も重要な行事です。

- [ ] 冠婚葬祭とは日本人にとって重要な4つの儀式のことです。その4つの儀式には成人式、結婚式、葬式、法事があります。

- [ ] 成人式とは大人になったことを祝う儀式です。

- [ ] 日本では、長い間20歳になると成人したと見なされていましたが、2022年に18歳に引き下げられました。

- [ ] 1月の第2月曜日には、地域の役所が成人式を行います。

- [ ] 成人の日は1月の第2月曜日で、その日は20歳になった人たちを祝います。

- [ ] 結婚の儀式のことを、日本語では結婚式といいます。

- [ ] 多くの場合、結婚式は神式かキリスト教式で行われます。

- [ ] 冠婚葬祭の「葬」とは、故人を弔うための葬儀のことです。

- [ ] 葬儀の習慣、儀式は神道式か仏教式かで変わってきます。

- [ ] 冠婚葬祭の「祭」とは、故人の命日に開かれる特別な集まりのことです。

- [ ] 主な法事は、初七日（命日から数えて7日目）、四十九日（命日から数えて49日目）、一周忌（命日から1年後）、三回忌（亡くなってから2年経過した3年目）、七回忌（亡くなってから6年経過した7年目）が行われるのが一般的です。

- [ ] 法事には僧侶が呼ばれ、故人への供養のためにお経をあげます。

- [ ] 法事とは、仏教式の特別な行事のことで、命日から一定の間隔で故人を弔うためにお祈りします。

Kan-kon-sō-sai

Die *Kan-kon-sō-sai* sind die vier wichtigsten Ereignisse im Leben eines Japaners.

Die *Kan-kon-sō-sai* sind für Japaner vier bedeutsame Feierlichkeiten, nämlich die Volljährigkeitsfeier, die Hochzeitsfeier, die Bestattung sowie die Gedenkfeiern.

Mit der Volljährigkeitsfeier (*Seijin-shiki*) feiert man, dass man erwachsen geworden ist.

In Japan wurde man lange Zeit mit 20 Jahren volljährig. Seit 2022 wird man es mit 18 Jahren.

Am zweiten Montag im Januar ist *Seijin no hi*, an dem von den Kommunen das *Seijin-shiki* ausgerichtet wird.

Seijin no hi ist der zweite Montag im Januar, ein Tag zur Feier aller, die 20 geworden sind.

Die Hochzeitsfeier heißt auf Japanisch *Kekkon-shiki*.

In der Regel wird shintōistisch oder christlich geheiratet.

Das *sō* in *Kan-kon-sō-sai* steht für die Trauerfeier, mit der man sich von Verstorbenen verabschiedet.

Die Bräuche und Riten der Trauerfeier richten sich danach, ob sie shintōistisch oder buddhistisch ist.

Das *sai* in *Kan-kon-sō-sai* steht für eine besondere Versammlung zum Todestag einer Person.

Die wichtigsten Gedenkfeiern (*Hōji*) werden in der Regel wie folgt begangen: *Shonanoka* – 7. Tag ab dem Tod (Todestag miteingeschlossen), *Shijūkunichi* – 49. Tag ab dem Tod (Todestag miteingeschlossen), *Isshūki* – erster Todestag, *Sankaiki* – Beginn des dritten Jahres ab dem Tod (also zweiter Todestag) sowie *Shichikaiki* – Beginn des siebten Jahres ab dem Tod (also sechster Todestag).

Zur *Hōji* wird ein Mönch gerufen, der zum Gedenken an die verstorbene Person Sutren rezitiert.

Eine *Hōji* ist eine spezielle Veranstaltung im buddhistischen Stil, bei der zu bestimmten Abständen nach dem Todestag Gebete für die verstorbene Person gesprochen werden.

知っておきたいドイツのこと❸

　誰でも知っているドイツのメーカーといえば、ベンツやBMWなど自動車関係が多いかもしれません。

　売上トップ10を見てみましょう（2021年時）。

1位	Volkswagen Group フォルクスワーゲン	自動車。Volkはドイツ語で「国民、大衆、人」の意味で、大衆のために作られた身近な車とされる。
2位	Allianz アリアンツ	ヨーロッパでも最大級の金融グループで、世界各地16カ国で事業をおこなっている。
3位	Daimler-Benz AG ダイムラー・ベンツ	1883年にカール・ベンツが始めたエンジン開発から発展し、1890年代に入り、ガソリン式自動車の量産を開始した。
4位	Siemens AG シーメンス	ミュンヘンに本社を置く電機メーカー。古くは1861年にドイツの使節団が徳川将軍家にシーメンス製電信機を献上したとして知られる。
5位	BMW ビー・エム・ダブリュー	1916年にエンジンメーカーとしてスタート。会社の起源がバイエルン州にあることから、Bayerische Motoren Werke GmbHの頭文字からBMWとされた。
6位	Robert Bosch ロバート・ボッシュ	1886年創業の世界的なテクノロジー企業。日本では自動車部品の開発・製造を行う。
7位	Deutsche Telekom ドイツテレコム	ボンに本社がある電気通信事業者。民営化により公共事業者からグローバルな企業へと成長した。
8位	BASF ビーエーエスエフ	150年の歴史を持つ世界でも有数の化学メーカー。
9位	Bayer バイエル	化学工業もしくは製薬会社として世界的に有名。創業当時はアスピリンが主要な製品だった。
10位	SAP エスエイピー	ヨーロッパ最大のソフトウェア企業。

第4章

日本の伝統と文化

伝統芸能と芸術

現代文化・風潮

スポーツ

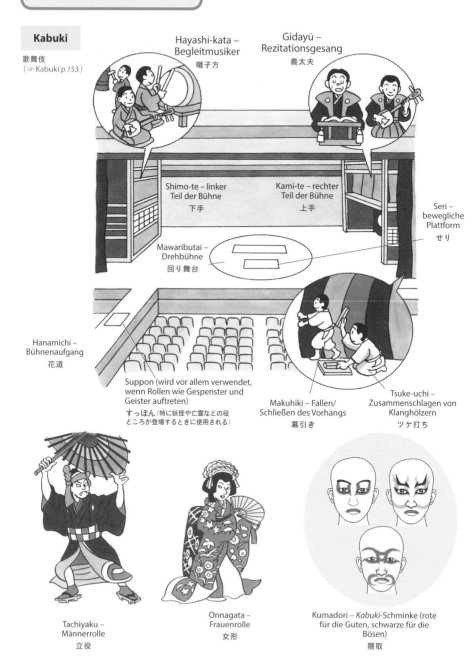

日本の伝統芸能　Traditionelle japanische Künste

Kabuki

歌舞伎
(☞Kabuki p.153)

Hayashi-kata –
Begleitmusiker
囃子方

Gidayū –
Rezitationsgesang
義太夫

Shimo-te – linker
Teil der Bühne
下手

Kami-te – rechter
Teil der Bühne
上手

Seri –
bewegliche
Plattform
せり

Mawaributai –
Drehbühne
回り舞台

Hanamichi –
Bühnenaufgang
花道

Suppon (wird vor allem verwendet,
wenn Rollen wie Gespenster und
Geister auftreten)
すっぽん（特に妖怪や亡霊などの役
どころが登場するときに使用される）

Makuhiki – Fallen/
Schließen des Vorhangs
幕引き

Tsuke-uchi –
Zusammenschlagen von
Klanghölzern
ツケ打ち

Tachiyaku –
Männerrolle
立役

Onnagata –
Frauenrolle
女形

Kumadori – *Kabuki*-Schminke (rote
für die Guten, schwarze für die
Bösen)
隈取

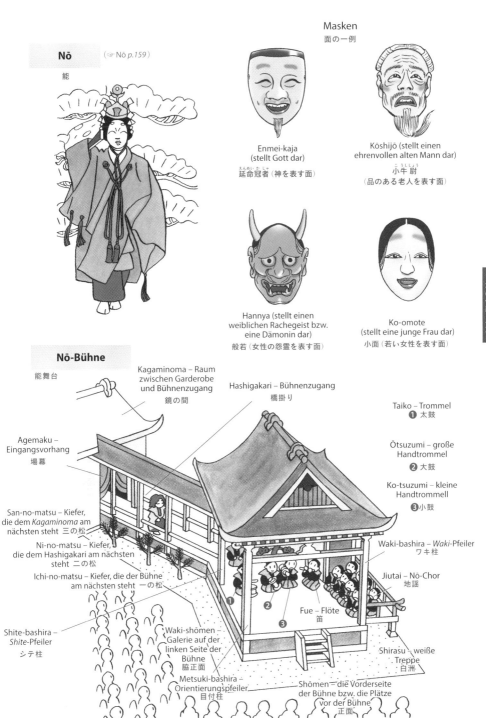

Nō
能

(☞ Nō p.159)

Masken
面の一例

Enmei-kaja
(stellt Gott dar)
延命冠者（神を表す面）

Kōshijō (stellt einen
ehrenvollen alten Mann dar)
小牛尉
（品のある老人を表す面）

Hannya (stellt einen
weiblichen Rachegeist bzw.
eine Dämonin dar)
般若（女性の怨霊を表す面）

Ko-omote
(stellt eine junge Frau dar)
小面（若い女性を表す面）

Nō-Bühne
能舞台

Kagaminoma – Raum
zwischen Garderobe
und Bühnenzugang
鏡の間

Hashigakari – Bühnenzugang
橋掛り

Taiko – Trommel
❶ 太鼓

Ōtsuzumi – große
Handtrommel
❷ 大鼓

Ko-tsuzumi – kleine
Handtrommell
❸ 小鼓

Agemaku –
Eingangsvorhang
揚幕

San-no-matsu – Kiefer,
die dem Kagaminoma am
nächsten steht 三の松

Ni-no-matsu – Kiefer,
die dem Hashigakari am nächsten
steht 二の松

Ichi-no-matsu – Kiefer, die der Bühne
am nächsten steht 一の松

Waki-bashira – Waki-Pfeiler
ワキ柱

Jiutai – Nō-Chor
地謡

Fue – Flöte
笛

Shite-bashira –
Shite-Pfeiler
シテ柱

Waki-shōmen –
Galerie auf der
linken Seite der
Bühne
脇正面

Metsuki-bashira –
Orientierungspfeiler
目付柱

Shōmen – die Vorderseite
der Bühne bzw. die Plätze
vor der Bühne
正面

Shirasu – weiße
Treppe
白洲

Bunraku

文楽

（☞Bunraku p.157）

Omozukai – Hauptpuppenspieler
Mit der linken Hand ändert er den
Gesichtsausdruck der Puppe, mit
der rechten Hand bewegt er die
rechte Hand der Puppe. Er trägt
besonders große Holzsandalen, die
Butai-Geta.

主遣い

（左手で人形の表情を、右手
で人形の右手を操る。舞台下
駄という大きな下駄を履い
ている）

Hidarizukai – Puppen-Handspieler
Er bewegt die linke Hand der Puppe.
Er trägt schwarze Kleidung.

左遣い

（人形の左手を操る。
黒衣を纏っている）

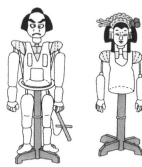

Ashizukai – Puppen-Fußspieler
Er kniet unter der Puppe und bewegt
mit beiden Händen die Füße der
Puppe. Er trägt schwarze Kleidung.

足遣い

（人形の下にうずくまり、
両手で人形の両足を操る。
黒衣を纏っている）

Bunraku-Puppen
文楽の人形

Wagakki – japanische Instrumente

和楽器

Koto – japanische
Harfe
琴

Shakuhachi –
Bambusflöte
尺八

Tsuzumi –
Handtrommel
鼓

Shamisen – japanische
Laute mit drei Saiten
三味線

相撲を知る

（☞ Sumō p.179 ）

Sumō

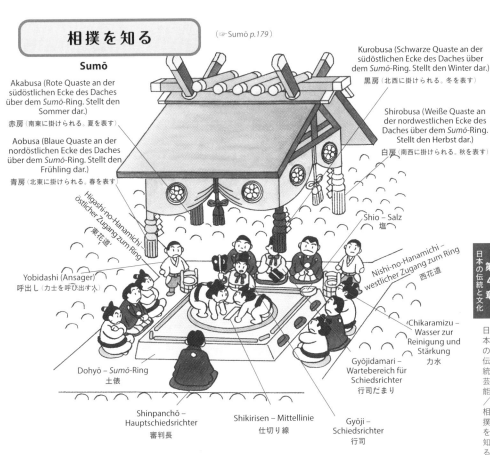

Akabusa (Rote Quaste an der südöstlichen Ecke des Daches über dem Sumō-Ring. Stellt den Sommer dar.)
赤房〈南東に掛けられる。夏を表す〉

Aobusa (Blaue Quaste an der nordöstlichen Ecke des Daches über dem Sumō-Ring. Stellt den Frühling dar.)
青房〈北東に掛けられる。春を表す〉

Kurobusa (Schwarze Quaste an der südöstlichen Ecke des Daches über dem Sumō-Ring. Stellt den Winter dar.)
黒房〈北西に掛けられる。冬を表す〉

Shirobusa (Weiße Quaste an der nordwestlichen Ecke des Daches über dem Sumō-Ring. Stellt den Herbst dar.)
白房〈南西に掛けられる。秋を表す〉

Higashi-no-Hanamichi – östlicher Zugang zum Ring
東花道

Yobidashi (Ansager)
呼出し〈力士を呼び出す人〉

Shio – Salz
塩

Nishi-no-Hanamichi – westlicher Zugang zum Ring
西花道

Chikaramizu – Wasser zur Reinigung und Stärkung
力水

Gyōjidamari – Wartebereich für Schiedsrichter
行司だまり

Dohyō – Sumō-Ring
土俵

Shinpanchō – Hauptschiedsrichter
審判長

Shikirisen – Mittellinie
仕切り線

Gyōji – Schiedsrichter
行司

Yokozuna (höchster Rang beim Sumō)
横綱〈力士の最高位〉

Sekitori (Rang über Jūryō)
関取〈"十両"以上の力士〉

Makushita (Sumō-Ringer auf dem zweiten Platz der Rangliste. Ein Rang unter Jūryō.)
幕下〈番付の2段目に書かれる力士。十両の一階級下〉

Gyōji – Schiedsrichter
行司

伝統芸能と芸術

日本に来たら歌舞伎を見たい、というドイツの方もいらっしゃると思います。歌舞伎、文楽、能、狂言、そして日本古来の着物から茶道・華道の説明まで身につけることができます。

歌舞伎

☐ 歌舞伎は日本特有の演劇です。

☐ 歌舞伎は江戸時代に発展した日本特有の演劇です。

☐ 歌舞伎は、能楽、人形浄瑠璃と並んで、日本の三大国劇と言われています。

☐ 歌舞伎は日本の伝統芸能のひとつで、役者と演奏家が演じます。

☐ 歌舞伎はバックで演奏される音楽とあわせて演じられます。

☐ 歌舞伎はバックで演奏される音楽と合わせて演じられ、メインの楽器は三味線です。

☐ 歌舞伎では、三味線、笛、太鼓の演奏をする人たちが座り、ときには長唄が歌われることもあります。

☐ 今日の歌舞伎は日本の伝統的な舞台芸術で、演劇、踊り、音楽を一体化したものです。

☐ 日本では、有名な歌舞伎役者は著名人で、しばしばテレビドラマなどにも出演します。

☐ 異国情緒あふれる歌舞伎は、外国人にも人気があります。

新装の歌舞伎座

Kabuki

Kabuki ist ein einzigartiges japanisches Theater.

Kabuki ist ein einzigartiges japanisches Theater, das sich in der Edo-Zeit (1603–1868) entwickelt hat.

Kabuki ist neben *Nō* und dem japanischen Puppentheater (*Ningyō-Jōruri*) eine der drei großen Theaterformen in Japan.

Kabuki ist eine der traditionellen japanischen darstellenden Künste, bei der Schauspieler und Musiker auf der Bühne auftreten.

Bei *Kabuki* ist die Aufführung des Stücks an die im Hintergrund spielende Musik angepasst.

Bei *Kabuki* ist die Aufführung des Stücks an die im Hintergrund spielende Musik angepasst. Das Hauptinstrument ist dabei eine japanische Laute mit drei Saiten (*Shamisen*).

Die Musiker, die *Shamisen*, Flöte und Trommel spielen, sitzen. Ab und zu wird auch ein langes Lied mit *Shamisen*-Begleitung gesungen, das *Naga-uta* genannt wird.

Heute ist *Kabuki* eine traditionelle japanische darstellende Kunst, bei der Schauspiel, Tanz und Musik vereint sind.

In Japan sind berühmte *Kabuki*-Schauspieler Prominente, die ab und an in japanischen Fernsehserien auftreten.

Da *Kabuki* eine äußerst exotische Atmosphäre bietet, ist es bei Ausländern sehr beliebt.

☐ 多くの外国人観光客は、歌舞伎役者の特徴のある化粧とパフォーマンスを楽しんでいます。

☐ 異国情緒あふれる踊り、音楽、衣装、そして特徴ある化粧など、歌舞伎は海外からの旅行者にも人気です。

☐ 花道というのは、客席を通って舞台へと続く廊下のことです。

☐ 三味線は伝統的な日本の弦楽器です。

☐ 三味線は、日本の三弦リュートのようなものです。

☐ 三味線は日本の伝統的な楽器で、弦を弾いて演奏します。

☐ 三味線は日本の伝統的な弦楽器で、歌舞伎のほか、さまざまな伝統的行事などで使われます。

☐ 歌舞伎の歴史は17世紀初期まで遡ることができます。

☐ 歌舞伎は最初、京都で上演され、すぐに江戸に広がっていきました。

☐ 歌舞伎のはじまった17世紀初期は、女性だけが踊るものでした。

☐ 本来、歌舞伎は女性が演じるものでしたが、幕府が性的な挑発になるということで、女性が演じることを禁止しました。

☐ 幕府が、女性が演じる歌舞伎を禁じると、男性が男役、女役の両方を演じるようになりました。

☐ 男性が女役を演じるという点で、ユニークな演劇と言われています。

☐ 歌舞伎では、女性を演じる男性俳優を女形といいます。

安政5年（1858）の市村座の様子
（歌川豊国画）

154

Vielen Touristen aus dem Ausland gefallen das ganz eigene Make-up der *Kabuki*-Schauspieler und die Darbietung.

Da *Kabuki* durch den Tanz, die Musik, die Kostüme und das ganz eigene Make-up eine äußerst exotische Atmosphäre bietet, ist es bei Touristen aus dem Ausland sehr beliebt.

Der *Hanamichi* ist ein Gang, der am Publikum vorbei zur Bühne führt.

Das *Shamisen* ist ein traditionelles japanisches Saiteninstrument.

Das *Shamisen* ist eine japanische Laute mit drei Saiten.

Das *Shamisen* ist ein traditionelles japanisches Instrument, das gespielt wird, indem man dessen Saiten zupft.

Das *Shamisen* ist ein traditionelles japanisches Saiteninstrument, das nicht nur bei *Kabuki*, sondern auch bei ganz unterschiedlichen traditionellen Veranstaltungen gespielt wird.

Die Geschichte des *Kabuki* lässt sich bis in das frühe 17. Jahrhundert zurückverfolgen.

Zum ersten Mal wurde *Kabuki* in Kyoto aufgeführt, verbreitete sich dann aber sofort auch nach Edo.

In der Anfangsphase des *Kabuki*, im frühen 17. Jahrhundert, tanzten nur Frauen.

Ursprünglich traten im *Kabuki* nur Frauen auf, doch da die *Shōgunats*regierung (*Bakufu*) der Ansicht war, dass dies zu anzüglich sei, wurde es Frauen verboten, aufzutreten.

Seitdem der Auftritt von Frauen durch die *Shōgunats*regierung verboten wurde, spielten Männer sowohl männliche als auch weibliche Rollen.

Manche meinen, dass der besondere Reiz des *Kabuki* darin liege, dass Männer auch weibliche Rollen spielen.

Im *Kabuki* werden Frauen, die von Schauspielern gespielt werden, *Onnagata* genannt.

写楽による役者絵

□ 江戸時代、歌舞伎は舞台芸術として発展しました。

□ 江戸時代、舞台演劇として発展した歌舞伎は、江戸の人にも大阪の人にも喜ばれました。

□ 大阪や京都で発展した歌舞伎を上方歌舞伎といいます。

□ 歌舞伎で演じられる有名な演目の多くは、日本の古典を題材にしたものです。

□ 江戸時代、歌舞伎の人気役者を宣伝するために描かれたのが浮世絵です。

□ 東京で歌舞伎が行われるのは、国立劇場か歌舞伎座です。

□ どちらの劇場でも、英語の翻訳付きで歌舞伎を楽しむことができます。

文楽

□ 文楽は日本の伝統的な人形劇です。

□ 文楽は日本語で人形浄瑠璃ともいいます。

□ 文楽は、17世紀の後半に竹本義太夫が劇場を始めたことで、人気が出ました。

□ 17世紀後半、近松門左衛門の作を上演したことで、文楽は人に知られるようになりました。

□ 近松門左衛門は文楽のために物語を書く脚本家です。

□ 文楽は大阪ではじまり、歌舞伎にも大きな影響を与えました。

□ 文楽は歌舞伎の人形版のようなものです。

□ 文楽では、三味線の伴奏で物語が語られ、吟じられます。

In der Edo-Zeit (1603–1868) hat sich das *Kabuki* als darstellende Kunst entwickelt.

Das *Kabuki*, das sich in der Edo-Zeit als darstellende Kunst entwickelt hat, wurde nicht nur in Edo, sondern auch in Osaka begeistert aufgenommen.

Das aus Osaka und Kyoto stammende *Kabuki* nennt man *Kamigata-Kabuki*.

Es gibt viele bekannte Programme, die im *Kabuki* aufgeführt werden. Sie basieren auf alten japanischen Klassikern.

Zur Edo-Zeit gab es für Werbezwecke angefertigte *Ukiyo-e* beliebter *Kabuki*-Schauspieler.

In Tokio wird *Kabuki* im Japanischen Nationaltheater und im *Kabuki-za* aufgeführt.

In beiden Theatern kann man *Kabuki* mit englischer Übersetzung genießen.

Bunraku

Bunraku ist das traditionelle japanische Puppentheater.

Bunraku wird auf Japanisch auch *Ningyō-Jyōruri* genannt.

Bunraku hat seinen Ursprung in der zweiten Hälfte des 17. Jahrhunderts. Gidayū Takemoto eröffnete zu dieser Zeit das erste Theater und hatte damit umgehend Erfolg.

In der zweiten Hälfte des 17. Jahrhunderts wurden dort Stücke aufgeführt, die Monzaemon Chikamatsu geschrieben hatte. Dadurch wurde *Bunraku* allgemein bekannt.

Monzaemon Chikamatsu war ein Dramaturg, der für *Bunraku* Geschichten schrieb.

Bunraku nahm seinen Anfang in Osaka und beeinflusste auch *Kabuki* stark.

Man könnte sagen, dass *Bunraku Kabuki* mit Puppen ist.

Bei *Bunraku* werden Geschichten mit musikalischer Begleitung durch das *Shamisen* erzählt und rezitiert.

□ 文楽で行われる語りを浄瑠璃といいます。

□ 17世紀になると、語りに三味線の伴奏がつきました。

能

□ 能は日本の古典芸能の一つです。

□ 能は日本の古典的な演劇で、13~14世紀に発展しました。

□ 能は日本の舞台演劇の中でも最もよく知られているものの一つです。

□ 能は猿楽から発展した歌舞劇で、踊りと劇の要素が含まれています。

□ 能は観阿弥が創始し、14世紀に息子の世阿弥が確立しました。

□ 能は観阿弥・世阿弥親子によって、洗練された舞台芸術になりました。

□ 能役者の動きはとてもゆっくりしています。

□ 能はそのミニマリズムゆえに、洗練されていると言われています。

□ 能の主役は仕手と呼ばれ、助け役を脇といいます。

□ 能の舞台には、数人の役者しか上がらず、仕手と呼ばれる1人の役者が演じ、謡い、踊ります。

□ 能は男性の役者で演じられます。

□ 能の役者は、面を着けて演じます。

□ 能面とは、能の役者が顔につけるマスクのことです。

Der erzählende Teil des *Bunraku* wird *Jyōruri* genannt.

Im 17. Jahrhundert kam zum erzählenden Teil die Begleitung durch das *Shamisen* hinzu.

Nō

Nō ist eine der klassischen japanischen Theaterformen.

Nō ist eine klassische japanische Theaterform, die sich zwischen dem 13. und 14. Jahrhundert entwickelt hat.

Unter den Theaterarten in Japan ist *Nō* eine der bekanntesten.

Nō ist ein Sing-und-Tanz-Theater, das sich aus dem *Sarugaku* entwickelt hat und Elemente von Tanz und Schauspiel enthält.

Nō wurde von Kan'ami gegründet und im 14. Jahrhundert von seinem Sohn, Zeami, verbreitet.

Nō wurde durch Kan'ami und seinen Sohn, Zeami, zu einer hochkarätigen darstellenden Kunst erhoben.

Nō-Schauspieler bewegen sich auffallend langsam.

Durch diesen Minimalismus wird *Nō* als kultiviert angesehen.

Die Hauptrolle im *Nō* wird *Shite* genannt, die Nebenrollen *Waki*.

Beim *Nō* stehen nur wenige Schauspieler auf der Bühne. Die *Shite* genannte Hauptrolle schauspielert, rezitiert und tanzt.

Nō wird von männlichen Schauspielern aufgeführt.

Beim *Nō* setzen sich die Schauspieler eine Maske auf.

Die Maske, die die *Nō*-Schauspieler tragen, heißt *Nōmen*.

□ 能の役者は面をつけ、面の角度による光や影を利用して、様々な顔の表情を作り出しします。

□ 能の世界では、役者がゆっくりとした最小限の動きをしながら、能面で表情を創り出すことで、神秘的でかつ深淵な世界を描きます。

□ 夢幻能とは、15世紀に世阿弥が完成した劇で、亡霊を題材にします。

□ 薪能は、野外で薪をたいて行う能のことです。

□ 囃しとは、能舞台の伴奏のことです。もともとは、笛と3種の太鼓で伴奏しました。

□ 鼓は日本古来の打楽器です。小さな鼓は、肩に乗せて右手で打ちます。

□ 大鼓は座っている膝の上に乗せて演奏します。

□ 太鼓は日本式のドラムのことで、小さい太鼓が能では使われます。

□ 謡は、登場人物の台詞に節をつけた歌のことで、もともとは8人で歌っていました。

狂言

□ 狂言は能楽師が演じる滑稽劇です。

□ ときには狂言が独立して演じられることもありました。この場合は、本狂言と呼ばれました。

□ 狂言は能と源流は同じです。

□ 能と違って、ほとんどの狂言は面を着けることはありません。

□ 狂言の主役はシテと呼ばれ、脇役をアドといいます。

狂言の舞台

Nō-Schauspieler setzen sich eine Maske auf. Je nach Winkel entstehen Licht und Schatten, mit denen alle Gesichtsausdrücke dargestellt werden.

In der Welt des *Nō* bewegen sich die Schauspieler so wenig wie möglich und stellen mit der *Nōmen* Gesichtsausdrücke dar. Dadurch wird eine mysteriöse wie tiefgründige Welt geschaffen.

Mugen-Nō ist ein Theater, das im 15. Jahrhundert von Zeami perfektioniert wurde und die Seelen Verstorbener als Stoff hat.

Takigi-Nō ist eine Form von *Nō*, bei der im Freien Holz verbrannt wird.

Als *Hayashi* bezeichnet man die musikalische Begleitung beim *Nō*, die ursprünglich aus einer Flöte und drei Arten von Trommeln bestand.

Die *Tsuzumi* ist ein antikes japanisches Schlaginstrument. Die kleine *Tsuzumi* wird auf der Schulter getragen und mit der rechten Hand geschlagen.

Die große *Tsuzumi* wird auf dem Schoß liegend gespielt.

Die *Taiko* ist eine japanische Trommel, die in einer kleinen Ausführung beim *Nō* gespielt wird.

Ein *Utai* ist ein Lied, durch das der Text der Figuren gesungen wird. Ursprünglich wurde es von acht Personen gesungen.

Kyōgen

Das *Kyōgen* ist ein von *Nō*-Meistern aufgeführtes lustiges Zwischenspiel.

Manchmal ist das *Kyōgen* auch das Hauptstück. Dann wird es *Hon-Kyōgen* genannt.

Kyōgen und *Nō* haben denselben Ursprung.

Im Gegensatz zu *Nō* werden beim *Kyōgen* keine Masken getragen.

Die Hauptrolle im *Kyōgen* wird *Shite* genannt, die Nebenrollen *Ado*.

着物

□ 着物は日本の伝統的な衣装です。

□ 着物は日本の伝統的な衣装で、男性、女性ともに着ます。

□ 女性が着る着物は色鮮やかです。

□ 着物は、洋服と区別して和服と呼ばれます。

□ 着物は衣服というだけでなく、素晴らしい芸術でもあります。

□ 着物は一般的には高いものです。

□ 色鮮やかで、一流の染め技術が施された着物は、とても高価です。

□ 着物を寝間着と思っている人もいますが、それは間違いです。

□ 外国人用に、寝間着として着物もどきのものを販売する土産物屋も多いです。

□ 着物用の織物をつくるには、熟練した職人技が必要です。

□ 着物を仕立てるには、先代から受け継がれる熟練の技が必要です。

□ 京都や金沢でつくられる高級な着物の中に、友禅と呼ばれるものがあります。

□ 友禅は高級な着物で、京都や金沢でつくられます。

□ 友禅（染め）は、1年がかりで布に絵付けや染めを施します。

Kimono

Der *Kimono* ist die traditionelle japanische Kleidung.

Der *Kimono* ist die traditionelle, von Damen wie Herren getragene japanische Kleidung.

Kimonos für Frauen sind farbenfroh.

Um *Kimonos* von westlicher Kleidung abzugrenzen, werden sie *Wafuku* genannt.

Der *Kimono* ist nicht nur ein Kleidungsstück, sondern wunderbare Kunst.

In der Regel ist ein *Kimono* teuer.

Wenn für die lebendigen Farben erstklassige Färbetechnik eingesetzt wird, steigt der Preis enorm.

Es gibt auch Leute, die einen *Kimono* für ein Schlafgewand halten. Dem ist aber nicht so.

Viele Souvenirläden bieten Ausländern kimonoähnliche Artikel als Schlafgewand an.

Die Herstellung des Stoffs für *Kimonos* erfordert Erfahrung und Geschick.

Für das Schneidern eines *Kimonos* braucht man handwerkliches Können, das von einer Generation an die nächste weitergegeben wird.

Zu den hochwertigen *Kimonos*, die vor allem in Kyoto und Kanazawa hergestellt werden, gehören die sogenannten *Yūzen*.

Ein *Yūzen* ist ein hochwertiger *Kimono*, der vor allem in Kyoto oder Kanazawa hergestellt wird.

Die Bemalung und Färbung des Stoffs mittels der *Yūzen*-Färbung dauert ein Jahr.

- [ ] 着物を着るときは、腰のところに帯を巻いて、背中で結びます。

- [ ] 帯を結ぶのは、なかなか大変で技術が必要です。

- [ ] 帯を結ぶのは、技術が必要で、自分でやるのはかなり大変です。

- [ ] 帯を自分で結ぶのはかなり大変で、着物を着る人はたいてい誰かに助けてもらいます。

- [ ] 振り袖は、未婚女性が着る袖の長い着物のことです。

- [ ] 未婚女性は、色鮮やかで、袖の長い振り袖を着ます。

- [ ] 既婚女性は、袖が短い留袖という着物を着ます。

- [ ] 既婚女性は、落ち着いた色の袖の短い留袖という着物を着ます。

- [ ] 浴衣は着物の一種で、夏の夜に着ます。

- [ ] 浴衣はもともとは夜に着る室内着でしたが、外を散歩するときなどにも着られるようになりました。

- [ ] 最近では、花火やお祭りでも浴衣を着る人がいます。

- [ ] 日本の伝統的な宿である旅館では、浴衣を借りて温泉に行くことができます。

- [ ] 浴衣はふだん着なので、ホテルのロビーに浴衣で出るのはふさわしくありません。

- [ ] 日本人は日常生活では洋服を着ていますが、結婚式、葬儀、卒業式など特別な場合に着物を着ます。

Zieht man einen *Kimono* an, wird der *Obi* um die Taille gewickelt und am Rücken zugebunden.

Um den *Obi* zuzubinden, bedarf es einiges an Können.

Um den *Obi* zuzubinden, bedarf es Können, vor allem, wenn man es alleine versucht.

Es ist sehr schwierig sich den *Obi* selbst zuzubinden. Daher gibt es für das Anziehen eines *Kimono* meistens auch eine Person, die dabei hilft.

Ein *Furisode* ist ein *Kimono* mit langen Ärmeln, den unverheiratete Frauen tragen.

Ledige Frauen tragen einen farbenfrohen *Furisode* mit langen Ärmeln.

Verheiratete Frauen tragen einen *Kimono* mit kurzen Ärmeln, der *Tomesode* heißt.

Verheiratete Frauen tragen einen *Kimono* mit kurzen Ärmeln und Pastellfarben, der *Tomesode* heißt.

Ein *Yukata* ist eine Art von *Kimono*, die im Sommer getragen wird.

Eigentlich war der *Yukata* dazu gedacht, nachts im Schlafzimmer getragen zu werden, doch mittlerweile kann man sich damit auch auf der Straße sehen lassen.

In letzter Zeit tragen einige Leute einen *Yukata* zu Feuerwerksveranstaltungen oder Festen.

In einem *Ryokan*, einem traditionellen japanischen Gasthaus, können die Gäste *Yukata* für den Besuch der heißen Quellen leihen (seltener mieten).

Da ein *Yukata* sehr legere Kleidung ist, ist es unangebracht, mit ihm in die Lobby eines Hotels zu gehen.

Japaner tragen im Alltag westliche Kleidung. Zu Hochzeitsfeiern, Trauerfeiern, Abschlussfeiern und anderen besonderen Anlässen trägt man allerdings einen *Kimono*.

伝統芸能と芸術 ⋯ 着物

茶道

☐ 茶道とは茶を点ててそれを振るまう伝統的な日本の儀式です。

☐ 茶道は何世紀にもわたる歴史があり、そこには哲学的な概念が潜んでいます。

☐ 茶道では、粉末にした抹茶が用いられます。

☐ 普通の茶葉からつくられる緑茶に比べ、抹茶は濃厚な味がします。

☐ 茶道は禅とともに発展し、16世紀後半に千利休という人によって確立されました。

☐ 茶道が16世紀後半に広まると、人々は繊細に振るまわれる一杯のお茶に心を和ませました。

☐ 茶道は単に茶を飲むだけではありません。繊細で美しい雰囲気も魅力です。

☐ 茶道では、茶を振るまう茶碗を愛でることも重要です。

☐ 茶室と呼ばれる茶を点てる部屋は、生け花や掛け軸が飾られ、洗練された雰囲気を醸し出しています。

☐ 茶道は大切な客をもてなすために、洗練された雰囲気を作り出すための芸術です。

☐ 茶道にはさまざまな作法があります。茶室への入り方、挨拶の仕方、お菓子の食べ方、茶の飲み方など、覚える必要があります。

高台寺の遺芳庵

☐ 複雑な作法は、日本人でもよく知りません。大切なのは、リラックスして、その雰囲気や伝統を楽しむことです。

生け花

☐ 生け花は日本の伝統的なフラワーアレンジメントのことです。

Sadō

Sadō ist eine traditionelle japanische Zeremonie, bei dem Tee zubereitet und serviert wird.

Sadō hat eine jahrhundertealte Geschichte, in der sich philosophische Konzepte verbergen.

Bei *Sadō* wird fein gemahlener grüner Tee (*Matcha*) verwendet.

Im Vergleich zu grünem Tee aus Teeblättern (*Ryokucha*) hat *Matcha* einen kräftigeren Geschmack.

Sadō hat sich gemeinsam mit Zen entwickelt und wurde in der zweiten Hälfte des 16. Jahrhunderts von einem Mann namens Sen no Rikyū gegründet.

Als sich *Sadō* in der zweiten Hälfte des 16. Jahrhunderts verbreitete, schätzten die Leute diese feine Art des Teetrinkens, die Herz und Seele beruhigt.

Bei *Sadō* geht es nicht nur um das Trinken von Tee, sondern auch um die malerische, von Feingefühl geprägte Atmosphäre.

Ein wichtiger Punkt von *Sadō* ist die Wertschätzung der Schale, in die der Tee gegossen wird.

Das *Chashitsu* ist ein Raum, in dem Tee zubereitet wird und der mit *Ikebana* und hängenden Schriftrollen geschmückt ist, was eine elegante Atmosphäre schafft.

Sadō ist die Kunst, eine elegante Atmosphäre zu erschaffen, um geschätzte Gäste zu unterhalten.

Bei *Sadō* gibt es vieles zu beachten. Die Art, den Raum zu betreten; die Begrüßung; wie man die Süßigkeiten isst und den Tee trinkt – all dies muss man lernen.

Nur wenige Japaner kennen diese komplizierten Vorgänge. Das Wichtigste ist jedoch, sich zu entspannen und die Atmosphäre und die Tradition zu genießen.

Ikebana

Ikebana ist das traditionelle japanische Blumenarrangieren.

☐ 生け花のことを華道ともいい、この伝統的な日本のフラワーアレンジメントは、室町時代に発展しました。

☐ 明治時代以降、生け花のコンセプトは、西洋のフラワーアレンジメントにも影響を与えました。

☐ 生け花が空間の芸術と言われるのは、空間と花のラインを組み合わせるものだからです。

☐ 池坊は、日本最大の華道の流派です。

☐ 池坊専慶は室町時代の僧で、池坊流の華道の基礎をつくりました。

短歌・俳句

☐ 短歌は日本の伝統的な詩で、5－7－5－7－7の五句体です。

☐ 最初の3句を上の句、あとの2句を下の句といいます。

☐ 短歌は古代よりつくられています。

☐ 昔は感情や思いを伝えるために短歌を交換しました。

☐ 辞世とは、死ぬ前につくられる短歌のことです。

☐ 俳句は、短歌の上の句から生まれました。俳句は5－7－5の3句からなります。

☐ 俳句は海外にも紹介され、世界中で楽しまれています。

☐ 川柳は風刺や皮肉を盛り込んだ詩で、俳句と同じ形式です。江戸時代に流行しました。

☐ 狂歌は風刺や皮肉を盛り込んだ詩で、短歌と同じ形式です。江戸時代に流行しました。

Ikebana wird auch manchmal *Kadō* genannt. Das traditionelle japanische Blumenarrangieren entstand in der Muromachi-Zeit (1390–1572).

Seit der Meiji-Zeit (1868–1912) übt *Ikebana* auch auf das westliche Blumenarrangieren seine Wirkung aus.

Da *Ikebana* Freiräume mit floralen Linien verbindet, wird es auch als „Kunst der Leere" bezeichnet.

Ikenobō ist die größte *Kadō*-Schule in Japan.

Senkei Ikenobō war ein Mönch in der Muromachi-Zeit, der die Grundlagen des Ikenobō-*Kadō* legte.

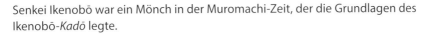

Tanka und Haiku

Das *Tanka* ist die traditionelle japanische Gedichtform mit 5-7-5-7-7 Moren in fünf Versen.

Die ersten drei Verse sind der erste Teil des Gedichts (*Kami no ku*), die anderen zwei der letzte Teil (*Shimo no ku*).

Tanka gibt es schon seit der Antike.

Früher hat man *Tanka* ausgetauscht, um Gefühle und Gedanken auszudrücken.

Ein *Jisei* ist ein *Tanka*, das kurz vor dem Tod geschrieben wurde.

Haiku haben sich aus dem ersten Teil von *Tanka* entwickelt. Ein *Haiku* besteht aus 5-7-5 Moren in drei Versen.

Haiku kamen auch ins Ausland und sind nun auf der ganzen Welt bekannt.

Ein *Senryū* ist ein satirisches, ironisches Gedicht in Form eines *Haiku*, das in der Edo-Zeit (1603–1868) beliebt war.

Ein *Kyōka* ist ein satirisches, ironisches Gedicht in Form eines *Tanka*, das in der Edo-Zeit (1603–1868) beliebt war.

現代文化・風潮

伝統の日本だけでなく、今の日本を紹介します。マンガ・アニメ、オタク文化から、コスプレまで、新しい日本の情報をドイツ語で話してみましょう。

マンガ・アニメ

☐ マンガとは、日本のコミック、またはグラフィックノベルのことです。

☐ マンガは、日本のポップカルチャーの中でも最もよく知られています。

☐ 今ではマンガという言葉は、世界中で知られています。

☐ もともとマンガは子供向けに描かれていました。

☐ 50年代、60年代にはマンガ家が素晴らしい話を作り出し、マンガ雑誌を出版する出版社にとっては稼ぎ頭でした。

☐ マンガはずっと長いこと人気があったので、あらゆる世代の日本の人々に読まれ、楽しまれています。

☐ 出版社は、マンガを使ったハウツー本、ノンフィクション本、さらには若者・大人向けに教育的な本を出版することもあります。

☐ 自然の話からセックス・暴力まで、歴史物語からSFまで、様々なジャンルのマンガが日本では楽しまれています。

☐ マンガは日本人の間で広く受け入れられています。というのも一般的に日本人はテキストだけより、ビジュアルがある方が好きだからです。

☐ マンガ同様、アニメもビジュアルはコンピューターで制作され、この形式は日本から世界へと広がっていきました。

Manga und Anime

Ein *Manga* ist ein japanischer Comic oder Graphic Novel.

Der *Manga* ist die bekannteste Ausprägung der japanischen Popkultur.

Heute ist der Begriff *Manga* weltweit bekannt.

Ursprünglich wurden *Manga* für Kinder gezeichnet.

In den 50er- und 60er-Jahren schrieben *Manga*zeichner tolle Geschichten, die Verlagen von *Manga*-Zeitschriften viel Geld einbrachten.

Da es *Manga* schon so lange gibt, werden sie von allen Generationen in Japan gerne gelesen.

Verlage lassen auch Selbsthilfebücher, Sachbücher und sogar an junge oder erwachsene Leser gerichtete Lehrbücher in *Manga*form zeichnen.

In Japan gibt es alle möglichen Genres von *Manga*, von Natur über Sex, Gewalt und Geschichte bis hin zu Science-Fiction.

In Japan werden *Manga* von der breiten Masse akzeptiert. Das liegt daran, dass Japaner in der Regel eine grafische Darstellung statt reinem Text bevorzugen.

Wie auch bei *Manga* werden die Zeichnungen für *Anime* am Computer erstellt, die ebenfalls von Japan aus die Welt erobert haben.

第 4 章 日本の伝統と文化

現代文化・風潮…マンガ・アニメ

オタク文化

☐ オタク文化とは、アニメ、SF、マンガといった日本のサブカルチャーや若者のライフスタイルの象徴です。

☐ オタクとは、アニメやゲームなど特定の分野に強い興味を持つ人たちのことです。

☐ オタクという言葉は、コンピューターを使うのが得意な若者たちが、使い始めました。

☐ コンピューター世代の若者は、実生活で人と対するより、コンピューターの前に座っていることを好みます。そういう人をオタクと言います。

☐ 面と向かってのコミュニケーションが不得意な若者が、互いを"オタク"と呼び合うようになりました。

☐ オタクという言葉は海外でも紹介されました。

☐ オタクと並んで海外に紹介された「かわいい」という言葉は、"pretty"とか"cute"という意味です。

☐ 多くの日本人は、何か愛らしいものを見ると"かわいい"と言います。

☐ 原宿や秋葉原は、オタクと呼ばれる人々が集まる場所とされています。

☐ 秋葉原には、オタク文化の象徴的な品やコスチュームを売る店がたくさんあります。

コスプレ

☐ 今ではコスプレは世界中で認知されています。コスチュームとプレイの造語です。

☐ 今のコスプレは、1990年代に東京の原宿辺りで始まりました。

☐ コスプレとは、アニメ、ゲーム、マンガなどのキャラクターを真似て、コスチュームを着て、化粧をしたりすることです。

Otaku

Otaku sind ein Symbol japanischer Subkultur bzw. eines Lebensstils junger Leute, bei dem sich das Leben hauptsächlich um Dinge wie Anime, Science-Fiction und *Manga* dreht.

Mit *Otaku* werden Leute bezeichnet, die eine starkes Interesse an einem relativ engen Themenbereich, wie etwa *Anime* oder Videospiele, haben.

Der Begriff *Otaku* bezeichnete ursprünglich junge Leute, die sehr computeraffin waren.

Diese computeraffinen Leute saßen lieber vor dem Computer, als sich mit Menschen in der echten Welt zu beschäftigen. Diese Leute wurden *Otaku* genannt.

Mittlerweile nennen sich junge Leute mit Schwächen im Umgang mit anderen gegenseitig *Otaku*.

Auch im Ausland kennt man jetzt den Begriff *Otaku*.

Mit dem jetzt im Ausland bekannten Begriff *Otaku* geht der Begriff *kawaii* Hand in Hand. *Kawaii* bedeutet niedlich, süß oder hübsch.

Viele Japaner, vor allem Japanerinnen, sagen beim Anblick von Dingen, die sie *kawaii* finden, auch laut „Kawaii!".

Die sogenannten *Otaku* zieht es oft nach Harajuku oder Akihabara.

In Akihabara gibt es zahlreiche Geschäfte, die für *Otaku* attraktive Dinge oder Kostüme verkaufen.

Cosplay

Heute kennt man *Cosplay* auf der ganzen Welt. Dabei handelt es sich um ein Kofferwort aus „Costume" und „Play".

Das heutige *Cosplay* hat seinen Ursprung in den 1990er-Jahren in Harajuku in Tokio.

Cosplay beschreibt das Kostümieren und Schminken, um einer Figur aus *Anime*, Videospielen, *Manga* usw. zu ähneln.

☐ 日本のアニメ、マンガ、コンピューターゲームが世界中の若者に人気があるため、メイドインジャパンのコスプレも多くの国に広まっています。

☐ 東京の秋葉原は、オタク、コスプレ文化の中心です。

☐ メイドカフェとは、秋葉原にあるカフェで、かわいいメイドのコスチュームを着た少女が、コーヒーや飲み物を出してくれます。

Jポップ・演歌

☐ 戦後、海外からポップミュージックが紹介され、日本で受け入れられました。

☐ Jポップは、ジャパニーズ・ポップ・ミュージックの略で、日本だけでなく、多くのアジアの国々でも売られています。

☐ Jポップを通して、日本の最新のポップミュージックの詩やリズムが楽しまれています。

☐ 演歌は、大衆音楽のジャンルのひとつで、日本古来の民謡の影響があります。

☐ 演歌で歌われるのは、愛、情念、日本の心などです。

☐ 世界的に有名なKポップと呼ばれる韓国の音楽も、日本人の間でとても人気があります。

コンビニ文化

☐ コンビニは、英語の"コンビニエンスストアconvenience store"の略称です。「便利な店」という意味です。

☐ コンビニなしには、日本の都会での生活は成り立ちません。

☐ 地元の小売店は、今ではスーパーマーケットやコンビニに取って変わられています。

☐ 日本全国にコンビニは55,000軒以上あります。

Da japanische *Anime*, *Manga* und Videospiele bei jungen Leuten weltweit beliebt sind, wird das *Cosplay* Marke Japan auch in vielen Ländern praktiziert.

Akihabara in Tokio ist das Zentrum für *Otaku* und *Cosplay*.

Maid Cafés bezeichnen Cafés in Akihabara, in denen junge Damen niedliche (*kawaii*) Dienstmädchenuniformen tragen und Kaffee sowie anderes servieren.

J-Pop und Enka

Nach dem Zweiten Weltkrieg kam westliche Popmusik aus dem Ausland und wurde in Japan rezipiert.

J-Pop, eine Abkürzung für „Japanese Pop Music", verkauft sich nicht nur in Japan gut, sondern auch in vielen anderen asiatischen Staaten.

Durch J-Pop kann man sich an den neuesten Texten und Rhythmen japansicher Popmusik erfreuen.

Bei *Enka* handelt es sich um ein Genre massentauglicher Musik mit Einfluss antiker japanischer Volkslieder.

Enka besingt Liebe, Begierden und das japanische Gemüt.

Der neuerdings global erfolgreiche K-Pop (Popmusik aus Südkorea) ist auch unter Japanern beliebt.

Kombini

Mit *Kombini* wird „convenience store" abgekürzt, was direkt übersetzt etwa „praktischer Laden" bedeutet.

Das Leben im japanischen Städten wäre ohne *Kombini* kaum möglich.

Krämerläden auf dem Land werden zunehmend von Supermärkten und *Kombini* verdrängt.

In Japan gibt es insgesamt über 55.000 *Kombini*.

□ コンビニで、公共料金を払ったり、オンラインで注文した本を受け取ったり、荷物を送ったりすることができます。

□ もし出張で靴下やTシャツが足りなくなったら、コンビニに行って買うことができます。

携帯文化

□ "mobile phone"のことを、日本語で携帯電話、または単に携帯といいます。

□ 多くの日本人が、雑誌や新聞に代わり、デジタルコンテンツから情報を得ています。

□ 携帯電話とインターネットの普及によって、日本人のライフスタイルと文化は変わりました。

□ 絵文字は、eメールやスマホでメッセージを送るときに使います。

□ 犯罪などの違法行為を行うウェブサイトを闇サイトと呼びます。

□ 犯罪から子供を守るために、スマホのGPS機能が使われることもあります。

In *Kombinis* kann man u. a. Strom, Gas, Wasser oder Steuern bezahlen, im Internet bestellte Bücher abholen, Pakete verschicken und mehr.

Fehlen einem auf einer Reise Socken oder T-Shirts, kann man auch diese im *Kombini* kaufen.

Handy

Mobiltelefon heißt auf Japanisch *Keitai-Denwa*, abgekürzt einfach *Keitai*.

Viele Japaner informieren sich anstatt aus Zeitschriften oder Zeitungen lieber digital.

Mit der Verbreitung von Mobiltelefonen und dem Internet hat sich der Lebensstil und die Kultur der Japaner verändert.

Emoji sind Piktogramme oder Smileys, die in E-Mails oder Nachrichtendiensten verschickt werden.

Websites mit rechtswidrigen Inhalten werden *Yami-Saito* genannt.

Die GPS-Funktion von Smartphones wird manchmal genutzt, um Kinder vor Verbrechen zu schützen.

スポーツ

古来より行われてきた伝統ある相撲から、柔道、空手、剣道、合気道まで日本の武道を紹介します。

相撲

☐ 相撲とは、日本の伝統的なレスリングのことです。

☐ 相撲の起源は、古代まで遡ることができます。

☐ 相撲は神々を崇拝するための特別な取組として発展しました。

☐ 歴史的に、相撲は神道と深い関係があります。

☐ 相撲の取組は、神々への感謝を表すために行われました。

☐ 土俵は力士が相撲を取る特別なリングのことです。

☐ 相撲取りは、土俵と呼ばれる特別なリングで取り組みをします。

☐ 相撲取りは、神聖な場所とされる土俵というリングで取り組みを行います。

☐ 今では職業としての相撲の興行は、日本相撲協会が主催しています。

☐ 今では相撲の興行は、日本相撲協会が主催しており、2ヵ月ごとに行われます。

☐ 公式な相撲の取組は2ヵ月ごと、15日間にわたって行われます。

☐ 公式な相撲の取組では、最も多くの取り組みに勝った力士が、優勝となります。

Track 14

1860年代、歌川国貞による相撲絵

Sumō

Sumō ist das traditionelle japanische Ringen.

Die Geschichte des *Sumō* lässt sich bis in die Antike zurückverfolgen.

Das *Sumō* hat sich aus einem Ringkampf entwickelt, mit dem die Götter verehrt wurden.

Historisch war das *Sumō* tief mit dem Shintō verwurzelt.

Das Ringen beim *Sumō* dient dazu, den Göttern zu danken.

Der *Dohyō* ist ein spezieller Ring, in dem die *Sumō*-Ringer (*Rikishi*) gegeneinander antreten.

Die *Sumō*-Ringer kämpfen in einem speziellen Ring, der *Dohyō* genannt wird.

Die *Sumō*-Ringer kämpfen in einem gesegneten Ring, der *Dohyō* genannt wird.

Heutzutage organisiert der Japanische *Sumō*-Verband die Veranstaltungen des professionellen *Sumō*.

Heutzutage organisiert der Japanische *Sumō*-Verband die alle zwei Monate stattfindenden Veranstaltungen des professionellen *Sumō*.

Die offiziellen *Sumō*-Kämpfe finden alle zwei Monate für 15 Tage statt.

Wer bei den offiziellen *Sumō*-Kämpfen die meisten Siege erringt, erhält den Titel.

- [ ] 相撲の番付け最上位は横綱です。

- [ ] 相撲の番付の上から2番目は、大関です。

- [ ] 力士は成績によってランク付けされており、最も高いのが横綱です。

- [ ] 現代のスポーツとしての相撲にも、古来から続く伝統様式が多く残っています。

- [ ] 相撲取りの独特の髪型は、封建時代から変わっていません。

- [ ] 相撲を取る際、力士たちはほぼ裸同然です。

- [ ] 力士は、どこにも武器を隠していないことを証明するために、ほぼ裸同然で相撲を取ります。

- [ ] 相撲を取る際、力士はまわしだけを身に着けます。

- [ ] 相撲を取るとき力士はまわしと呼ばれるふんどしのようなものしか身に着けません。

- [ ] 取り組みの前、力士は多くの儀式に従わなければなりません。

- [ ] 古代まで遡れる相撲の儀式に、外国人は引きつけられます。

- [ ] 人々は、ほかでは見られない儀式や、激しい取組に魅了されます。

- [ ] 相撲はスポーツとしてだけでなく、美的に優れた伝統としても楽しまれています。

- [ ] 土俵に上がる前は、力士は口をすすぎます。

- [ ] 土俵の上で、力士は塩を投げ、邪悪なものを取り払います。

Der höchste Rang beim *Sumō* heißt *Yokozuna*.

Der zweithöchste Rang beim *Sumō* heißt *Ōzeki*.

Die *Sumō*-Ringer erhalten entsprechend ihrer Erfolge einen Rank, wovon der höchste der des *Yokozuna* ist.

Im modernen, als Sport ausgetragenen *Sumō* stecken noch immer viele von Alters her überlieferte Traditionen.

Die markante Frisur der *Sumō*-Ringer hat sich seit der Feudalzeit nicht verändert.

Beim Ringen sind die *Sumō*-Ringer fast unbekleidet.

Damit sichtbar ist, dass die *Sumō*-Ringer keine Waffen versteckt haben, ringen sie fast unbekleidet.

Beim Ringen tragen die *Sumō*-Ringer nur das *Mawashi*.

Beim Ringen tragen die *Sumō*-Ringer nur eine Art Lendenschurz, das *Mawashi*.

Vor dem Ringen müssen die *Sumō*-Ringer viele Rituale einhalten.

Die Rituale des *Sumō*, die bis in die Antike zurückreichen, faszinieren Ausländer.

Für viele Leute sind die Rituale und das ungestüme Kämpfen das Attraktive am *Sumō*, da sie solche Dinge anderswo nicht sehen können.

Sumō sollte man nicht nur als Sport ansehen, sondern als ästhetisch ansprechende Tradition.

Bevor *Sumō*-Ringer den *Sumō*-Ring betreten, spülen sie sich den Mund aus.

Im *Sumō*-Ring wird Salz geworfen, um sich vor Bösem zu schützen.

□ 土俵上で、力士は四股を踏みますが、これは病気や不幸などの悪い気を地下に押し込めるためです。

□ 土俵上で、力士はしゃがんで、神への挨拶としてパンと両手をたたきます。

□ 力士は朝食の前に、それぞれの練習場で激しい稽古を行います。

□ 力士が所属する個別の組織を部屋と呼び、親方と呼ばれる人が力士の面倒をみます。

□ 国技館は相撲の本拠地で、東京の両国にあります。

□ 東京の両国近辺には50ほどの相撲部屋があります。

□ 相撲は伝統的なスポーツですが、近年は多くの外国人力士が競技に参加しています。

□ モンゴルやヨーロッパからも多くの力士が日本にやって来て、相撲をとっています。

野球

□ 日本語でベースボールのことを野球といいます。野球は日本ではとても人気のあるスポーツです。

□ 野球は、サッカーや相撲と並び、日本で最も人気のあるスポーツのひとつです。

□ 学校や町にある地元の野球チームには多くの子どもが参加しています。

□ 1年に2度、春と夏には大阪近くの甲子園で、全国高等学校野球選手権大会が行われます。

□ 全国高校野球大会では、各県から熱烈な応援団が集まり、自分たちの代表を応援します。まるでお祭りのような雰囲気です。

Im *Sumō*-Ring stampfen die *Sumō*-Ringer auf, um Krankheiten, Unfälle und anderes Schlechtes in die Unterwelt zurückzudrängen. Dies wird *Shiko* genannt.

Als Gruß an die Götter hocken sich die *Sumō*-Ringer im *Sumō*-Ring ab und schlagen die Hände laut knallend zusammen.

Noch vor dem Frühstück trainieren die *Sumō*-Ringer intensiv auf ihren jeweiligen Trainingsplätzen.

Die Ställe, zu denen die *Sumō*-Ringer gehören, werden *Heya* genannt. Hier kümmern sich die *Oyakata* um sie.

Das Kokugikan ist die Heimat des *Sumō*-Ringens und befindet sich in Ryogoku in Tokio.

In und um Ryogoku in Tokio gibt es etwa 50 *Sumō*-Ställe.

Das *Sumō* ist zwar ein traditionell japanischer Sport, doch in den letzten Jahren nehmen auch ausländische *Sumō*-Ringer an Wettkämpfen teil.

Viele Ringer kommen aus der Mongolei und aus Europa nach Japan, um hier dem *Sumō* nachzugehen.

Baseball

Auf Japanisch sagt man zu Baseball *Yakyū*. In Japan ist Baseball eine sehr beliebte Sportart.

Baseball gehört in Japan neben Fußball und *Sumō* zu den beliebtesten Sportarten.

Viele Kinder spielen in Baseball-Vereinen, die zu Schulen oder Kommunen gehören.

Zweimal im Jahr, im Frühling und im Sommer, findet im Kōshien-Baseballstadion die landesweite Oberschulen-Baseballmeisterschaft statt.

Zur landesweiten Oberschulen-Baseballmeisterschaft reisen aus ganz Japan Schlachtenbummler an, die mit ihrem Jubel ihren Lieblingsverein zum Sieg verhelfen wollen. Das Ganze nimmt schon eine festartige Atmosphäre an.

□ 才能を見出された選手は、早い段階からプロ野球への道が開かれます。

□ 野球が日本に紹介されたのは1872年のことです。

□ 野球は1872年に日本に紹介され、1920年にはプロ野球リーグが発足しました。

□ 日本にはプロ野球の球団が12あります。

□ 現在日本にはセ・リーグとパ・リーグの2つのリーグがあります。

□ アメリカのメジャーリーグにスカウトされるプロ選手も年々増えています。

サッカー

□ 野球と同じように、日本ではサッカーもさかんです。

□ アジアでは、日本の強敵は韓国です。

□ 2002年のワールドカップは日本と韓国の共催でした。

□ Jリーグは日本のプロサッカーリーグで、58チームが競い合っています。

□ 多くの日本人サッカー選手が、ドイツのプロチームでプレイしています。

柔道

□ 柔道は1882年に嘉納治五郎が創始した武道です。

□ 柔道は世界中に広まり、オリンピック競技になっています。

□ 柔道は日本の武道で国を超え、広がっています。

□ 柔道は、古くは柔術と呼ばれた武道から派生したものです。

Spieler, deren Talent hier entdeckt wird, können schon früh eine Profikarriere beginnen.

Baseball wurde zum ersten Mal im Jahr 1872 in Japan gespielt.

Im Jahr 1872 wurde zum ersten Mal in Japan Baseball gespielt. 1920 wurde dann eine Profiliga gegründet.

In Japan gibt es zwölf Profi-Baseballvereine.

Momentan gibt es in Japan die Central League und die Pacific League.

Jedes Jahr werden mehr Profi-Baseballspieler für die US-amerikanische Major League gescoutet.

Fußball

Wie Baseball wird in Japan auch gerne Fußball gespielt.

In Asien ist Japans Erzrivale Südkorea.

2002 richteten Japan und Südkorea gemeinsam die Weltmeisterschaft aus.

Die J-League ist Japans Profiliga, in der 58 Mannschaften antreten.

Viele japanische Fußballprofis spielen in starken deutschen Mannschaften.

Jūdō

Jigorō Kanō gründete 1882 die Kampfsportart *Jūdō*.

Jūdō hat sich weltweit verbreitet und ist mittlerweile auch eine olympische Sportart.

Jūdō hat sich als japanische Kampfsportart über die Landesgrenzen hinweg verbreitet.

Jūdō ist eine Abwandlung der älteren Kampfkunst *Jiu-Jitsu* (*Jūjutsu*).

□ 柔道の技は、投技、固技、当身技があります。

□ 柔道の礼は、相手への敬意です。そのため対戦の前と後には互いにお辞儀をします。

□ 柔道の技は、攻撃をしかけずに相手の力を利用して勝つことです。柔は剛を制すと言われています。

空手

□ 空手は沖縄発祥の武道です。

□ 空手はカンフーとは違います。古い中国の武道を取り入れて、沖縄で発達したものです。

□ 空手は素手で敵を倒す武道です。

□ 空手は自分の体を鍛えそれを武器とする武道です。

□ 空手は腕、手、足、頭を武器のように使う武道です。

□ 空手は防御のためのもので、攻撃されたときだけ戦います。

□ 空手の最もユニークなところは、そのスピードにあります。

□ 空手家は、全パワーを瞬時に集中させ、防御から攻撃へと移ります。

□ 柔道のように、今では空手も世界に広まっています。

□ 空手では、師は弟子に対戦のパターンとして多くの型を学ばせます。

Die Techniken des *Jūdō* sind das Werfen, das Greifen und das Schlagen.

Durch das Verbeugen ehrt man beim *Jūdō* sein Gegenüber. Daher verbeugen sich beide vor und nach dem Kampf.

Die Kunst des *Jūdō* besteht darin, die Kraft des Gegners zu nutzen, um zu gewinnen, ohne anzugreifen. So sagt man auch, dass Sänfte Härte besiege.

Karate

Karate ist eine Kampfkunst, die aus Okinawa stammt.

Karate ist kein Kung-Fu. Man nahm sich Anleihen an antiken chinesischen Kampfkünsten und entwickelte daraus in Okinawa *Karate*.

Karate ist eine Kampfkunst, einen Feind mit bloßen Händen zu besiegen.

Karate ist eine Kampfkunst, bei der man den eigenen Körper stählt, um ihn zu einer Waffe zu machen.

Karate ist eine Kampfkunst, bei der Arme, Hände, Füße und Kopf als Waffe zum Einsatz kommen.

Karate dient nur der Selbstverteidigung und darf daher nur eingesetzt werden, wenn man angegriffen wird.

Das herausstechende Merkmal von *Karate* ist die Geschwindigkeit.

*Karate*kämpfer (*Karate*) können ihre gesamte Kraft in Sekundenschnelle konzentrieren, um von der Defensive in die Offensive überzugehen.

Wie *Jūdō* hat sich auch *Karate* inzwischen auf der ganzen Welt verbreitet.

Im *Karate* lässt der Meister seinen Lehrling viele *Kata* als Muster für den Kampf lernen.

合気道

- □ 合気道は日本の武道の一つで、空手同様、素手で相手を制します。

- □ 合気道は日本の武道で、柔道のもとである柔術から発祥しました。

- □ 合気道がユニークな武道と言われるのは、名人が相手の力を瞬時に、大した動きもなく奪うことができるからです。

- □ 合気道は、相手の力を使って倒します。

□ 合気道は、瞬く間に相手の力を使って倒します。

□ 合気道は、反撃がうまくいくと、瞬時に相手を動けなくします。

剣道

□ 剣道は日本の武道の一つです。

□ 日本の剣術の技は、内乱が続いた16世紀頃に発展しました。

□ 江戸時代(1603-1867)、侍は道場と呼ばれる稽古場で剣の技を磨きました。

□ 江戸時代には、独自の剣術の技を作り上げた名人がたくさんいました。

□ 近代の剣道は、竹刀と防具を使って試合をします。

□ 剣道では、面、胴、小手を打つことでポイントが入ります。首の前側を突くことでもポイントが入ります。

□ 中学校では、武道の授業として柔道と剣道を採用しているところが多いです。

Aikidō

Aikidō ist eine der klassischen japanischen Kampfkünste, bei der es – wie beim *Karate* – darum geht, das Gegenüber mit bloßen Händen zu besiegen.

Aikidō ist eine japanische Kampfkunst, die aus dem *Jiu-Jitsu* hervorgegangen ist, von dem sich auch das *Jūdō* ableitet.

Das Einzigartige am *Aikidō* ist, dass Meister dazu in der Lage sind, ihrem Gegenüber im Handumdrehen und ohne große Bewegungen die Kraft zu nehmen.

Beim *Aikidō* nutzt man die Kraft seines Gegenübers, um diesen zu Fall zu bringen.

Beim *Aikidō* nutzt man in Sekundenbruchteilen die Kraft seines Gegenübers, um diesen zu Fall zu bringen.

Gelingt beim *Aikidō* ein Gegenangriff, kann man sein Gegenüber im Nu bewegungsunfähig machen.

Kendō

Kendō ist eine der klassischen japanischen Kampfkünste.

Die japanische Kunst des Schwertkampfs entwickelte sich im von inneren Unruhen geprägten 16. Jahrhundert.

In der Edo-Zeit (1603–1867) erlernten und verfeinerten die Samurai in *Dōjō* genannten Übungsstätten ihre Schwertkunst.

In der Edo-Zeit gab es einige meisterhafte Schwertkämpfer, die ihre eigenen, einzigartigen Schwerttechniken entwickelten.

Beim modernen *Kendō* werden die Kämpfe mit Bambusschwertern und Schutzausrüstung ausgetragen.

Für einen Gesichts-, Oberkörper- oder Unterarmtreffer gibt es einen Punkt. Auch für einen Stich in die Vorderseite des Halses gibt es einen Punkt.

An vielen Mittelschulen gibt es Kampfkunstunterricht, in dem *Jūdō* oder *Kendō* gelehrt wird.

19世紀、日本が鎖国に終止符を打ち、西洋諸国に門戸を開き始めたとき、近代化のモデルとして日本はドイツに注目しました。この時期における重要な両国の関係を紹介します。

1. **医学**：この時期の両国の関係で最も重要なのは、医学の分野です。ドイツは当時としては非常に高度な医療制度を持っていたため、日本はドイツに留学生を派遣して医療を学ばせました。こうしたことが日本の近代医学の発展に大きな影響を与えました。

   ドイツ人の医師といえば、1823年に来日したシーボルトが有名です。当時は鎖国していた日本ですが、シーボルトは唯一門戸を開いていた長崎出島の常駐医師に任命され、日本滞在中に日本の動植物、地理、文化などに関する膨大な情報を収集しました。また私塾も開き、日本人生徒のために医学、科学、西洋の思想などを教え、教え子の中には明治時代の近代化に重要な役割を果たした者もいました。

2. **法制度と行政制度**：ドイツの法制度は世界でも最も尊敬されるものの一つで、日本が19世紀末から急速な近代化を進める中で、ドイツをモデルとして採用しました。民法制度、憲法、行政法、法律用語などに多大な影響を与えました。

3. **軍事的なつながり**：19世紀後半、プロイセン（のちにドイツの一部となる国家）は、その軍事力の高さから日本が賞賛していました。そのことから、日本はドイツから多くの軍事知識を獲得したのです。

4. **経済と産業の近代化**：19世紀、経済の近代化を急務とした日本は、西欧列強の中でもドイツの影響を強く受けました。

5. **文化交流**：この時期に、ドイツと日本の間で文化交流が始まったとされています。ドイツの哲学者、科学者、芸術家、作家は日本の研究者にも大きな影響を与えました。日本に紹介された人物として、カント、ニーチェ、ヘーゲルといった哲学者、ゲーテ、トーマス・マン、カフカなどの作家がいます。

第 5 章

日本各地の説明

東京　　　中部地方
京都　　　近畿地方
大阪　　　中国地方
北海道　　四国地方
東北地方　九州地方
関東地方

東京

日本の首都である東京には、毎年多くの外国人旅行者が訪れます。東京の概要、交通、歴史、江戸情緒、そして観光スポットについてドイツ語で語ってみましょう。

東京の概要

☐ 東京は日本の首都です。

☐ 東京は日本の政治、経済、文化の中心です。

☐ 東京は巨大（な都市）です。

☐ 東京はメガシティです。

☐ 東京は巨大な都市で、一日では堪能できません。

☐ 東京は人口が密集した都市です。

☐ 東京は巨大で、人口が密集しています。

☐ 東京都の人口は約1,400万人です。

☐ 現在、東京都には約1,400万の人が住んでいます。

☐ 東京都には23区あります。

☐ 東京23区には、約970万の人が住んでいます。

☐ 東京都と周辺地域をあわせ、首都圏といいます。

☐ 首都圏は、東京都以外、神奈川、埼玉、千葉県で構成されています。

Track 15

都庁

Basisdaten Tokio

Tokio ist Hauptstadt Japans.

Tokio ist das politische, wirtschaftliche und kulturelle Zentrum Japans.

Tokio ist eine riesige Metropole.

Tokio ist eine Megastadt.

Tokio ist eine riesige Metropole, die man ihrer Gänze nicht an einem Tag erleben kann.

Tokio ist eine Stadt mit hoher Bevölkerungsdichte.

Tokio ist eine Metropole mit hoher Bevölkerungsdichte.

In der Präfektur Tokio leben etwa 14 Millionen Menschen.

Aktuell leben rund 14 Millionen Menschen in der Präfektur Tokio.

In der Präfektur Tokio gibt es den Kernbereich, der aus 23 Stadtbezirken besteht.

In diesen 23 Stadtbezirken leben rund 9,7 Millionen Menschen.

Die Präfektur Tokio sowie die umliegenden Gegenden werden Hauptstadtgebiet (*Shutoken*) genannt.

Zu diesem Hauptstadtgebiet gehören außer der Präfektur Tokio die Präfektur Kanagawa, die Präfektur Saitama und die Präfektur Chiba.

□ 首都圏には、およそ3,560万人が住んでいます。

□ 現在、970万の人が東京23区に住んでいて、首都圏には3,560万以上の人が住んでいます。

□ 首都圏は、世界のどの大都市圏より人口が多いです。

□ 首都圏の商業・経済の規模は、ニューヨーク都市圏より大きいです。

□ 日本のGDPのおよそ5分の1はここで生み出されています。

東京の交通

□ 東京では、電車と地下鉄を使うことをおすすめします。

□ 東京の電車と地下鉄のネットワークはとても効率的です。

□ 東京の電車と地下鉄は、よくネットワークされています。

□ 東京だけで50以上の電車と地下鉄が走っています。

□ 東京では、50以上の通勤電車、地下鉄が走っています。

□ 東京の新宿駅は毎日350万人以上の乗客が利用しています。

□ 東京の百貨店やショッピングセンターは、主要駅の上に直接建てられています。

□ 東京には、主要駅をつなぐ山手線という環状線があり、ほかの私鉄や地下鉄に乗り換えることができます。

□ 東京駅は新幹線の終点です。日本中から新幹線が到着します。

Im Hauptstadtgebiet leben rund 35,6 Millionen Menschen.

Aktuell leben rund 9,7 Millionen Menschen in den 23 Stadtbezirken Tokios und mehr als 35,6 Millionen Menschen im Hauptstadtgebiet.

Im Hauptstadtgebiet Tokio leben mehr Menschen als in jedem anderen Ballungsgebiet der Welt.

Der kommerzielle und wirtschaftliche Umfang des Hauptstadtgebiets Tokio ist größer als der des Großraums New York.

Hier wird ungefähr ein Fünftel des japanischen Bruttoinlandsprodukts erwirtschaftet.

Verkehr in Tokio

In Tokio empfiehlt es sich, mit dem Zug und der U-Bahn zu fahren.

Die Zug- und U-Bahn-Verbindungen in Tokio arbeiten äußerst effizient.

Die Zug- und U-Bahn-Verbindungen in Tokio bilden ein gutes Netzwerk.

Allen in Tokio verkehren über 50 Zug- und U-Bahn-Linien.

In Tokio stehen Pendlern mehr als 50 Zug- und U-Bahn-Linien zur Verfügung.

Der Bahnhof Shinjuku in Tokio hat ein tägliches Fahrgastaufkommen von mehr als 3,5 Millionen Menschen.

Viele Kaufhäuser und Einkaufszentren wurden direkt auf wichtigen Bahnhöfen in Tokio errichtet.

In Tokio verkehrt eine Ringlinie, die wichtige Bahnhöfe anfährt und Yamanote-Linie (*Yamanote-sen*) genannt wird. Von ihr aus kann man auch zu anderen Privatbahn- und U-Bahn-Linien umsteigen.

Der Bahnhof Tokio ist der Ausgangsbahnhof des Shinkansen. Shinkansen aus vielen Gebieten Japans haben ihn zum Ziel.

東京駅

☐ 東京駅は新幹線の終点で、ここから東京の各地へ向かう電車や地下鉄に乗りかけることができます。

☐ 羽田空港は、日本各地から東京へ来るときの空の玄関です。

☐ 羽田空港は、日本各地から東京へ来るときの空の玄関で、かつ国際空港でもあります。

☐ 山手線の浜松町駅で、羽田空港行きのモノレールに乗り換えられます。

☐ 東京の主要駅は、東京、品川、渋谷、新宿、池袋、そして上野です。

東京の歴史

☐ 東京とは、「東の都」の意味です。

☐ 東京という名は、1869年まで都だった京都から、東に450キロの位置に移ったことからきています。

☐ 東京の歴史は、江戸城が建てられた1457年にはじまりました。

☐ 1869年以前、東京は江戸と呼ばれていました。

☐ 江戸は東京の旧称です。

☐ 1603年から1868年の間、幕府は江戸にありました。

☐ 江戸は幕府があったところです。

☐ 1868年までは、幕府は江戸にあり、朝廷は京都にありました。

☐ 1869年に天皇が京都から東京に移り、東京は日本の首都になりました。

Der Bahnhof Tokio ist nicht nur die Endstation des Shinkansen, hier kann man auch zu anderen Zug- und U-Bahn-Linien umsteigen, um in die einzelnen Bezirke Tokios zu kommen.

Der Flughafen Haneda ist das Eingangstor nach Tokio für innerjapanische Flüge.

Der Flughafen Haneda ist nicht nur das Eingangstor nach Tokio für innerjapanische Flüge, sondern bietet auch internationale Verbindungen.

Am Bahnhof Hamamatsucho kann man, vom Flughafen Haneda aus kommend, von der Monorail in die Yamanote-Line umsteigen.

Die wichtigsten Bahnhöfe in Tokio sind Tokio, Shinagawa, Shibuya, Shinjuku, Ikebukuro und Ueno.

Geschichte Tokios

Tokio bedeutet „Hauptstadt im Osten".

Der Ursprung des Namens Tokio liegt im Jahre 1869, als der Sitz der Hauptstadt von Kyoto aus 450 km nach Osten verlegt wurde.

Die Geschichte Tokios beginnt im Jahre 1457, als die Burg Edo (*Edo-jō*) gebaut wurde.

Seit 1869 wird Tokio *Edo* genannt.

Edo ist der alte Name Tokios.

Von 1603 bis 1868 war *Edo* der Sitz der *Shōgunats*regierung.

Edo war der Sitz der *Shōgunats*regierung.

Bis 1868 war *Edo* der Sitz der *Shōgunats*regierung, während sich der Kaiserhof in Kyoto befand.

1869 verlegte der japanische Kaiser (*Tennō*) den Sitz der Hauptstadt von Kyoto nach Tokio, wo sie sich auch heute noch befindet.

☐ 江戸城は、現在では天皇の住まいである皇居となり、東京の中心部に位置しています。

☐ 現在の皇居である江戸城は、東京駅の近くにあります。

☐ 18世紀の江戸は、日本国内だけでなく世界でも最も人口の密集した都市でした。

☐ 20世紀、東京は二度、ひどい被害を受けました。

☐ 東京は1923年の関東大震災という地震で大きな被害を受けました。

☐ 東京は第二次世界大戦中の東京大空襲で、多くの死傷者が出ました。

☐ 20世紀、東京は関東大震災と東京大空襲という2回の大きな被害を受けました。

皇居内の正門石橋を臨む

江戸情緒とは

☐ 下町を歩くと、昔ながらの江戸の生活を垣間見ることができます。

☐ 東京の旧市街は、下町と呼ばれています。

☐ 東京の旧市街は下町と呼ばれ、江戸の雰囲気が隅田川沿いに点々と残っています。

☐ 東京の起源は江戸にあるので、東京を味わうには、江戸を良く知ることが大切です。

Die Burg Edo ist heute der Kaiserpalast, der sich mitten in Tokio befindet und in dem der japanische Kaiser wohnt.

Die Burg Edo, der heutige Kaiserpalast, befindet sich in der Nähe des Bahnhofs Tokio.

Im 18. Jahrhundert war Edo nicht nur die dichtbevölkertste Stadt Japans, sondern der Welt.

Im 20. Jahrhundert wurde Tokio zweimal schwer verwüstet.

1923 ereignete sich das Große Kanto-Erdbeben, durch das Tokio schwer beschädigt wurde.

Im Zweiten Weltkrieg erfolgten die Luftangriffe auf Tokio, durch die viele getötet und verletzt wurden.

Im 20. Jahrhundert wurde Tokio durch das Große Kanto-Erdbeben und die Luftangriffe auf Tokio zweimal schwer verwüstet.

桜田門。江戸城（現在の皇居）の内堀に造られた門の一つ

Der Flair Edos

Wer in einer *Shitamachi* einen Spaziergang macht, kann einen Hauch des alten Edos spüren.

Shitamachi ist die Altstadt bzw. Altstädte Tokios.

Die Altstadt Tokios heißt *Shitamachi*, in der man entlang des Sumida vereinzelt noch die Atmosphäre Edos spüren kann.

Tokio hat sich aus Edo heraus entwickelt. Es ist also wichtig, Edo gut zu kennen, um einen Eindruck von Tokio zu gewinnen.

□ 江戸情緒は、今では浅草、谷中、両国、そして深川などの地域で見られます。

□ 東京の古い魅力を知るには、上野や浅草のような下町がおすすめです。

□ 浅草とその周辺は、今でも昔の江戸情緒を感じられる場所として知られています。

□ 浅草は東京でも最も人気のある観光スポットです。

□ 浅草の中心は、浅草寺です。

□ 谷中とその周辺は、ぶらぶら歩くのにうってつけの場所です。

□ 谷中近辺の裏通りには、寺、工芸品店、レストラン、古い民家などが並び、江戸の味わいを楽しむことができます。

谷中の夕焼けだんだん

□ 毎年、浅草寺には3000万の人が訪れます。

□ 浅草寺には観音菩薩が祀られています。

□ 浅草寺の参道は仲見世通りと呼ばれ、昔ながらの小物を買うことができます。

□ 浅草寺周辺では、伝統を生かした職人の手による工芸品に、浅草の真の良さが発見できます。

外国人にも人気の仲見世通り

東京の観光スポット

□ 東京で最も大きい卸売市場である豊洲では、生き生きした仲買人たちのやり取りを見られるので、見逃さないように。

□ 豊洲へは是非行くことをおすすめします。豊洲は、東京最大の卸売り市場です。

Den Flair Edos kann man heutzutage in Asakusa, Yanaka, Ryogoku sowie in Gegenden wie Fukagawa spüren.

Wer den alten Charm Tokios kennenlernen möchte, dem sind *Shitamachi* wie Ueno oder Asakusa zu empfehlen.

Asakusa ist samt seiner Umgebung dafür bekannt, auch heute noch den ursprünglichen Flair Edos zu versprühen.

An keinen Ort in Tokio zieht es mehr Touristen als nach Asakusa.

Im Zentrum von Asakusa steht der Tempel Sensō-ji.

Yanaka und seine Umgebung eignet sich perfekt für einen entspannten Spaziergang.

Die Seitenstraßen in und um Yanaka sind mit Tempeln, Kunsthandwerksgeschäften, Restaurants und traditionellen japanischen Häusern gesäumt. Hier kann man sich ein wenig wie in Edo fühlen.

Jedes Jahr hat der Sensō-ji 30 Millionen Besucher.

Im Sensō-ji wird Guanyin verehrt.

Die Straße, die zum Sensō-ji führt, heißt Nakamise-dōri. Hier konnte man schon früher kleinere Dinge kaufen.

In der Gegend um den Sensō-ji kann man die wahre Qualität Asakusas entdecken, denn hier spiegelt sich das Beste der Tradition in den von geschickten Handwerkern hergestelltem Kunsthandwerk wider.

Sehenswürdigkeiten in Tokio

Der größte Großhandelsmarkt in Tokio befindet sich in Toyosu. Hier kann man lebhafte Verhandlungen zwischen Maklern sehen, was man sich nicht entgehen lassen sollte.

Man sollte unbedingt mal in das Gebiet Toyosu gegangen sein. Denn in Toyosu gibt es den größten Großhandelsmarkt in Tokio.

東京のウォーターフロントは
新しい観光スポット

☐ 豊洲は東京最大の卸売り市場として知られています。海産物の取扱量は世界最大です。

☐ 東京の中で、新宿、池袋、渋谷は日本でも有数の繁華街です。

☐ 原宿は渋谷に近く、若者文化発祥の地とされています。

☐ 東京の六本木、青山周辺は、ナイトライフを楽しめる所です。

☐ 六本木、青山周辺には、国際色豊かなレストランや、しゃれた店がたくさんあります。

☐ 東京では世界中の美味しい食事を楽しむことができます。

☐ 東京では、伝統的な日本食だけでなく、世界中の料理を楽しむことができます。

☐ 新宿の近くの新大久保周辺には、大きな韓国人街があります。

☐ 新宿の近くの新大久保周辺は、大きな韓国人街があり、本格的な韓国料理が食べられます。

☐ 渋谷と新宿はとても活気のあるところです。

☐ 渋谷と新宿は、活気のある商業地区で、ショッピングやナイトライフを楽しめます。

☐ 東京駅近くの大手町は、東京の金融街です。

Toyosu ist für seinen Großhandelsmarkt, den größten in Tokio, bekannt. Er ist der weltweit größte Umschlagplatz für alles aus dem Meer.

In Tokio befinden sich die Stadtbezirke Shinjuku, Ikebukuro und Shibuya, die in ganz Japan für ihre Lebhaftigkeit bekannt sind.

Harajuku ist in der Nähe von Shibuya und wird als die Wiege der Jugendkultur angesehen.

In Roppongi und Aoyama kann man das Nachtleben Tokios genießen.

In Roppongi und Aoyama gibt es viele Restaurants mit internationalem Flair und schicke Geschäfte.

In Tokio kann man hochwertige internationale Küche genießen.

In Tokio gibt es nicht nur traditionelle japanische Gerichte, sondern auch Speisen aus aller Welt.

In der Gegend Shin-Ōkubo, in der Nähe von Shinjuku, gibt es ein großes koreanisches Viertel.

In der Gegend Shin-Ōkubo, in der Nähe von Shinjuku, gibt es ein großes koreanisches Viertel, in dem man authentische koreanische Küche genießen kann.

In Shibuya und Shinjuku ist immer was los.

Shibuya und Shinjuku sind belebte Geschäftsviertel, in denen man gut einkaufen und ausgehen kann.

Ōtemachi, unweit des Bahnhofs Tokio, ist das Bankenviertel Tokios.

京都

その昔、唐の都「長安」を模したといわれる京都は、世界中の人があこがれる観光スポットです。由緒ある寺社、四季折々の自然の楽しみ方など、見どころがいっぱいです。

京都の概要

□ 京都は、日本の主要な都市です。

□ 京都は昔、日本の首都でした。

□ 京都は794年から1869年の間、日本の首都でした。

□ 京都は盆地に位置してます。

□ 京都は内陸に位置してます。

□ 京都は東京の西、460キロのところに位置してます。

□ 東京から京都までは、新幹線で2時間15分かかります。

□ 大阪から京都までは、電車で30分ほどです。

□ 京都の人は、自分たちの歴史や伝統にとても誇りを持っています。

□ 京都は日本の中でも最も歴史的なところです。

□ 京都は古都ということだけでなく、日本の文化の中心です。

□ 歴史の街として知られている京都ですが、経済的にも重要なところです。

京都の象徴、京都タワー

Basisdaten Kyoto

Kyoto ist eine Metropole Japans.

Kyoto war früher die Hauptstadt Japans.

Kyoto war von 794 bis 1869 die Hauptstadt Japans.

Kyoto liegt in einem Talkessel.

Kyoto liegt im Landesinneren.

Kyoto liegt 460 km westlich von Tokio.

Mit dem Shinkansen dauert es zwei Stunden und fünfzehn Minuten von Tokio nach Kyoto.

Von Osaka nach Kyoto fährt man mit dem Zug etwa eine halbe Stunde.

Leute aus Kyoto sind stolz auf ihre Geschichte und Traditionen.

Kyoto ist die geschichtsträchtigste Stadt in Japan.

Kyoto ist nicht nur die alte Hauptstadt, sondern auch das kulturelle Zentrum Japans.

Kyoto ist zwar als historische Stadt bekannt, spielt aber auch wirtschaftlich eine große Rolle.

京都の観光

☐ ストレスの多い日々に耐えなければならない日本人にとって、京都は精神的な癒しの場でもあります。

☐ 数えきれないほどの名所旧跡が京都にはあります。

☐ 美しい庭のある古い寺、神社、別荘、伝統の家など、数えきれない名所旧跡が京都にはあります。

☐ 京都は街の中も郊外も、ぶらぶら歩いて見て回るのに、絶好の場所です。

☐ 京都には、街なかだけでなく、郊外にもたくさんの素晴らしい所があります。

☐ 2019年には、8700万人以上の人が京都を訪れています。

☐ 京都の名所旧跡や文化遺産には、毎年100万人以上の海外の人が訪れています。

☐ 京都には3000以上の寺や神社があります。

☐ 京都にある多くの建築物や庭は、国宝です。

☐ 京都には、様々な仏教宗派の本部になっている寺が、数多くあります。

☐ 長い間、首都だった京都は、無数の政治的事件や争いごとの現場となりました。

京都の歴史

☐ 天皇が宮廷を京都に移したのは、794年のことでした。

☐ 794年から1185年まで、京都で天皇家が統治していた時代を、平安時代といいます。

☐ 鎌倉幕府が崩壊した1333年、後醍醐天皇は京都に新政府を樹立しました。

Tourismus in Kyoto

Für Japaner, die den Stress der Moderne tagtäglich aushalten müssen, ist Kyoto ein Ort, an dem man die Seele baumeln lassen kann.

In Kyoto gibt es zahllose berühmte Orte und historische Sehenswürdigkeiten.

In Kyoto gibt es zahllose berühmte Orte und historische Sehenswürdigkeiten, darunter alte Tempel mit schönen Gärten, Schreine, Ferienhäuser und traditionelle Häuser.

Kyoto eignet sich wunderbar für Spaziergänge, auf denen man viel sehen kann, sowohl in der Stadt als auch in den Außenbezirken.

In Kyoto gibt es nicht nur in der Innenstadt, sondern auch um Kyoto viele großartige Orte.

2019 reisten mehr als 87 Millionen Menschen nach Kyoto.

Die berühmten Orte, historischen Sehenswürdigkeiten und Welterbestätten ziehen jedes Jahr über 1 Million Menschen aus dem Ausland nach Kyoto.

In Kyoto gibt es mehr als 3.000 Tempel und Schreine.

In Kyoto zählen viele Gebäude und Gärten zu den Nationalschätzen Japans.

In Kyoto befinden sich viele Zentralen buddhistischer Glaubensrichtungen.

Lange Zeit war Kyoto Hauptstadt und Schauplatz unzähliger politischer Ereignisse und Konflikte.

Geschichte Kyotos

Im Jahre 794 zog der japanische Kaiser (*Tennō*) mit dem Kaiserhof nach Kyoto um.

794 bis 1185 regierte die kaiserliche Familie von Kyoto aus. Diese Zeit ist als Heian-Zeit bekannt.

Als das Kamakura-*Shōgunat* 1333 zerbrach, stellte der *Tennō* Go-Daigo in Kyoto eine neue Regierung auf.

- [ ] 京都の後醍醐天皇による新政府は、たった3年しか続きませんでした。

- [ ] 1338年、足利尊氏が将軍に命じられ、京都に新しい幕府を開きました。

- [ ] 15世紀、京都では10年におよぶ応仁の乱が猛威を振るいました。

- [ ] 京都は、1467年から1477年までの応仁の乱で、荒廃しました。

- [ ] 1603年に徳川家康は将軍に任命され、江戸 (現東京) に幕府を開きましたが、天皇は京都に残りました。

- [ ] 徳川幕府崩壊の後、首都は京都から東京に移されました。

- [ ] 今でも、京都御所と呼ばれる宮廷が京都にはあります。

- [ ] 京都御所は、京都の中心地にあります。

- [ ] 天皇家は、重要な儀式があるときはいつも京都御所を訪れます。

- [ ] 京都の二条城に行くと、見事な装飾の部屋を見ることができますが、そこは1867年に最後の将軍が政権を返上した場所でもあります。

京都の街歩き

- [ ] 京都の下町では、古い家などが立ち並ぶ通りや路地を歩くことができます。

- [ ] 古い商家を町屋といい、京都のあちこちにあります。

- [ ] 京都の町屋では、いろいろな手工芸品や骨董品などを見ることができます。

- [ ] 鴨川は京都のまん中を流れています。

Die von *Tennō* Go-Daigo in Kyoto aufgestellte neue Regierung hatte gerade einmal drei Jahre Bestand.

1338 erhielt Takauji Ashikaga vom *Tennō* den Befehl, in Kyoto eine neue *Shōgunats*regierung aufzustellen.

Im 15. Jahrhundert tobte in Kyoto zehn Jahre lang der Ōnin-Krieg.

Durch den Ōnin-Krieg (1467–1477) wurde Kyoto verwüstet.

1603 wurde Ieyasu Tokugawa vom Tennō beauftragt, in Edo (dem heutigen Tokio) eine *Shōgunats*regierung zu installieren. Der *Tennō* selbst blieb jedoch in Kyoto.

Nach dem Zerfall des Tokugawa-*Shōgunats* wurde der Sitz der Hauptstadt von Kyoto nach Tokio verlegt.

Auch jetzt befindet sich in Kyoto noch ein Kaiserpalast, der Kaiserpalast Kyoto.

Er befindet sich im Herzen von Kyoto.

Wichtige Zeremonien der kaiserlichen Familie werden nach wie vor im Kaiserpalast Kyoto abgehalten.

In der Burg Nijō in Kyoto gibt es einen prächtig dekorierten Raum. Hier trat der letzte *Shōgun* 1867 seine politische Macht ab.

Ein Spaziergang durch Kyoto

In der Innenstadt (*Shitamachi*) von Kyoto kann man in Straßen und Gassen spazieren, die von alten Häusern und anderen Gebäuden gesäumt sind.

Alte Kaufmannshäuser, die es an allen Ecken und Enden von Kyoto gibt, werden *Machiya* genannt.

In den *Machiya* in Kyoto gibt es viel von Hand gearbeitetes Kunsthandwerk und Antiquitäten zu sehen.

Der Kamo fließt mitten durch Kyoto.

☐ 京都の繁華街は河原町で、鴨川の西岸に位置しています。

☐ 鴨川の西側には先斗町があり、古くからの料理屋が立ち並んでいます。

☐ 祇園は京都の伝統的な歓楽街の中でも最も高級な界隈です。

☐ 祇園は国の歴史保存地区で、古くからの民家、お茶屋、料理屋などがあります。

☐ 京都では芸者のことを芸妓と呼びます。彼女たちは、伝統的なお茶屋や料理屋で働くプロの芸人です。

☐ 舞妓はまだ修行中の芸妓のことで、祇園あたりでは着物を着て、髪を結った舞妓たちを見かけます。

☐ 芸妓は遊女ではありません。芸妓とは洗練された身のこなしで、パトロンや大切な顧客を楽しませる女性のことです。

京都周辺

☐ 東山は、京都東部の山がちな地域のことです。

☐ 東山は、東部の山がちな地域で、古い寺院が並んでいます。

☐ 清水寺から銀閣寺まで、東山地区には多くの有名な寺があります。

☐ 北山地区は街の北西にあり、そこには有名な禅寺が点在しています。

☐ 金閣寺、妙心寺、そして龍安寺は、北山地区にあります。

Das Einkaufsviertel Kyotos heißt Kawaramachi und liegt am Westufer des Kamo.

Westlich des Kamo befindet sich Ponto-chō, wo sich ein traditionsreiches Restaurant an das nächste reiht.

Unter den traditionellen Vergnügungsvierteln Kyotos ist Gion die exklusivste Adresse.

Das Gebiet Gion steht unter nationalem Denkmalschutz. Hier gibt es traditionsreiche alte japanische Gebäude, Teehäuser, Restaurants und weiteres.

Geisha werden in Kyoto *Geiko* genannt. Die Damen, die in traditionellen Teehäusern und Restaurants arbeiten, sind professionelle Künstlerinnen.

Bei *Maiko* handelt es sich um *Geiko* in der Ausbildung. Sie kann man oft in einem *Kimono* gekleidet und mit einer typischen Frisur in Gion sehen.

Geiko sind keine Prostituierten. *Geiko* haben ein feines Auftreten und Benehmen. Sie unterhalten wichtige Gäste und Mäzen.

Die Umgebung Kyotos

Higashiyama ist eine bergige Gegend im Osten Kyotos.

Higashiyama ist eine bergige Gegend im Osten Kyotos, in der es viele alte buddhistische Tempel gibt.

Neben dem Kiyomizu-dera und dem Ginkaku-ji befinden sich in Higashiyama noch viele weitere berühmte Tempel.

Das Kitayama-Gebiet liegt im Nordwesten der Stadt und ist reich an berühmten Zen-Tempeln.

Der Kinkaku-ji, der Myōshin-ji und der Ryōan-ji liegen alle im Kitayama-Gebiet.

□ 金閣寺は黄金の建築物として有名で、北山地区にあります。

□ 龍安寺は石庭で有名です。

□ 嵐山は、流域に点在する小さな寺を訪れたり、散策するにはうってつけの場所です。

□ いくつかの歴史的な家屋や寺を訪ねるには、予約が必要です。

Der Kinkaku-ji, der für seine goldene Farbe bekannt ist, liegt im Kitayama-Gebiet.

Der Ryōan-ji ist für seinen Steingarten bekannt.

Arashiyama ist ein idealer Ort, um die kleinen Tempel, die über das Flussgebiet verteilt sind, zu besuchen und zu erkunden.

Für die Besichtigung einiger traditioneller Häuser und Tempel ist eine Reservierung notwendig.

龍安寺の石庭

大阪

日本の文化の中心地であった京都に近い大阪は、西日本最大の都市です。独自の食文化や芸能文化が発達したところでもあります。

大阪の概要

☐ 大阪は東京から550キロ西のところに位置しています。

☐ 東京と大阪の間は、新幹線で2時間半かかります。

☐ 東京—大阪間は、頻繁に電車が行き来しています。

☐ 大阪は京都の近くです。

☐ 大阪は、日本で2番目に大きな商業の中心地です。

☐ 大阪とその周辺は、日本で2番目に大きな経済、ビジネスの中心地です。

大阪の交通

関西国際空港

☐ 大阪の鉄道の玄関は新大阪駅で、大阪駅の北東5キロのところにあります。

☐ 大阪の国際空港は街の南側にあり、関西国際空港といいます。

☐ 大阪の国内線向け空港は、大阪国際空港（伊丹空港）といいます。

☐ 淀川は京都から大阪、そして大阪湾へと流れ込み、そこには大阪港があります。

☐ 神戸は港湾都市で大阪の西に位置しています。

214

Basisdaten Osaka

Osaka liegt 550 km westlich von Tokio.

Mit dem Shinkansen dauert es zweieinhalb Stunden von Tokio nach Osaka.

Zwischen Tokio und Osaka verkehren ständig Züge.

Osaka ist in der Nähe von Kyoto.

Osaka ist das zweitgrößte Handelszentrum Japans.

Osaka samt Umgebung ist das zweitgrößte Wirtschafts- und Geschäftszentrum Japans.

Verkehr in Osaka

Die Zuganfahrt nach Osaka erfolgt über der Bahnhof Shin-Osaka, der 5 km nordwestlich des Bahnhofs Osaka liegt.

Der internationale Flughafen Osakas liegt im Südteil der Stadt und heißt Flughafen Kansai.

Für Binnenflüge wird der Flughafen Osaka-Itami genutzt.

Der Yodo fließt von Kyoto nach Osaka und von dort aus in die Bucht von Osaka, wo sich auch der Hafen von Osaka befindet.

Kobe ist eine Hafenstadt, die sich westlich von Osaka befindet.

☐ 西から東へ、神戸、大阪、京都の3都市は、大阪都市圏を形成しています。

☐ 大阪を中心とした広域圏を関西といいます。

☐ 関西はかつて上方と言われていました。意味は"上の方"ということで、京都が長い間、首都だったからです。

大阪の人

☐ 大阪市の人口は275万人です。

☐ 大阪市の人口は275万人ですが、京都市、神戸市を含め周辺地域には1900万の人が住んでいます。

☐ 大阪弁とは、大阪の人が使う方言です。

☐ 大阪の人たちは、大阪弁と言われるユニークな方言を使います。

☐ 大阪の人たちは、東京の人より強い地元意識を持っています。

☐ 大阪では、自分たちのユーモアのセンスに誇りを持っていて、独特のお笑いエンターテインメントがあります。

大阪の歴史

☐ 大阪が日本で最も重要な都市になったのは、100年にわたる内戦の後、豊臣秀吉が日本を統一し、大阪城を築いたときです。

☐ 100年の内戦を経て、日本を統一し大阪城を築いた豊臣秀吉は、大阪の人に人気のヒーローです。

☐ もともとの大阪城は、豊臣秀頼が徳川家康に滅ぼされた1615年に焼失しました。

☐ 豊臣秀吉の息子、秀頼は1615年に徳川家康により、大阪城で殺されました。

Von Westen nach Osten bilden die drei Großstädte Kobe, Osaka und Kyoto das Ballungsgebiet Osaka.

Die Region mit Mittelpunkt Osaka wird Kansai genannt.

Kansai wurde einst *Kamigata* genannt, was etwa „beim *Tennō*" bedeutet, da Kyoto lange Zeit Hauptstadt war.

Leute in Osaka

In Osaka leben etwa 2,75 Millionen Menschen.

Nur in Osaka leben zwar nur etwa 2,75 Millionen Menschen, doch schließt man die weitere Umgebung mit den Städten Kyoto und Kobe mit ein, kommt man auf 19 Millionen Einwohner.

Ōsaka-ben ist der Dialekt der Leute aus Osaka.

Leute aus Osaka sprechen mit einem ganz eigenen Dialekt, dem *Ōsaka-ben*.

Im Vergleich zu Leuten aus Tokio haben Leute aus Osaka stärkeren Lokalpatriotismus.

In Osaka ist man stolz auf seinen Sinn für Humor, der eine einzigartige Unterhaltungsbranche hervorgebracht hat.

Geschichte Osakas

Nach dem über 100 Jahre dauernden Bürgerkrieg wurde Osaka zur wichtigsten Stadt Japans, als Hideyoshi Toyotomi Japan vereinte und die Burg Osaka errichtete.

Hideyoshi Toyotomi, der nach dem hundertjährigen Bürgerkrieg Japan vereinte und die Burg Osaka bauen ließ, ist für die Leute in Osaka ein Held.

Die ursprüngliche Burg Osaka wurde 1615 nach dem Sieg von Ieyasu Tokugawa über Hideyori Toyotomi niedergebrannt.

Hideyoshi Toyotomis Sohn Hideyori wurde 1615 von Ieyasu Tokugawa in der Burg Osaka getötet.

☐ 徳川家康は1603年、江戸（現東京）に幕府を開き、12年後に大阪城の豊臣秀頼を倒しました。

☐ 江戸時代、大阪は西日本の商業、文化の中心として栄えました。

☐ 江戸時代、文楽が大阪で始まりました。

大阪らしさ

☐ 大阪は商人魂で有名です。大阪の商人を「大阪商人」と呼びます。

☐ 阪神タイガースは大阪地区をベースにする人気のプロ野球チームで、東京をベースにする読売ジャイアンツとはライバル同士です。

☐ 大阪駅のある梅田は、大阪のビジネスの中心です。

☐ 難波は大阪の商業の中心で、梅田の南側に位置してます。

☐ 大阪・京都で発展した歌舞伎は、上方歌舞伎と呼ばれます。

大阪駅前

Ieyasu Tokugawa bildete 1603 eine *Shōgunats*regierung in Edo (dem heutigen Tokio) und tötete 12 Jahre später in der Burg Osaka Hideyori Toyotomi.

In der Edo-Zeit (1603–1868) war Osaka eine florierende Stadt sowie das wirtschaftliche und kulturelle Zentrum Westjapans.

In der Edo-Zeit entstand in Osaka auch das *Bunraku*.

Eigenarten Osakas

Osaka ist für seinen Kaufmannsgeist berühmt. Die Kaufleute aus Osaka nennt man *Ōsaka-Shōnin*.

Die Hanshin Tigers sind ein beliebter Baseballverein in Osaka, deren Erzrivalen die Yomiuri Giants in Tokio sind.

Umeda am Bahnhof Osaka ist das Geschäftszentrum der Stadt.

Naniwa ist das Handelszentrum von Osaka und liegt am südlichen Ende von Umeda.

Das in Osaka und Kyoto aufgeführte *Kabuki* nennt man *Kamigata-Kabuki*.

北海道

北海道は日本列島の最北端の島です。面積が広く、農業や畜産業が盛んです。冬は質のいい雪が降り、スキーリゾートには多くの海外からの観光客が集まっています。

北海道の概要

☐ 北海道は日本の行政区のひとつです。

☐ 北海道は日本の4つの主な島のうちのひとつです。

☐ 北海道は日本の4つの主な島のうちのひとつで、本州のすぐ北に位置しています。

☐ 北海道は日本で最も北にある島です。

☐ 北海道は最も北にある島で、冬の寒さはとても厳しいです。

☐ 北海道は日本で2番目に大きい島で、オーストリアと同じぐらいの大きさです。

☐ 北海道は、アイルランド島と同じぐらいの大きさで、520万人ほどの人が住んでいます。

☐ 北海道は日本で2番目に大きい島で、人口はたった520万人です。

☐ 北海道の冬はとても寒く、スキーリゾートもたくさんあります。

☐ 北海道の西側の沿岸には大量の流氷が流れ着き、見事です。

☐ 北海道は広いので、空いている土地がたくさんあります。

☐ 北海道は、日本の他の地域のように混んでいません。実際、空いている土地がたくさんあります。

札幌の時計台

Basisdaten Hokkaido

Hokkaido ist eine japanische Verwaltungseinheit.

Hokkaido ist eine der vier Hauptinseln Japans.

Hokkaido ist eine der vier Hauptinseln Japans, die direkt nördlich von Honshu liegt.

Hokkaido ist die nördlichste Insel Japans.

Hokkaido ist die nördlichste Insel Japans, auf der ein strenger Winter herrscht.

Hokkaido ist die zweitgrößte Insel Japans, die in etwa so groß wie Österreich ist.

Hokkaido hat eine Größe, die sich mit der der Insel Irland vergleichen lässt, und rund 5,2 Millionen Einwohner.

Hokkaido ist die zweitgrößte Insel Japans mit einer Bevölkerung von 5,2 Millionen Menschen.

Der Winter auf Hokkaido ist sehr kalt, weswegen es viele Skiurlaubsorte gibt.

Die großen Mengen an Eis, die an die Westküste Hokkaidos gespült werden, sind ein Spektakel.

Hokkaido ist groß, mit viel unbebauter Fläche.

Im Gegensatz zu anderen Regionen Japans ist Hokkaido nicht dicht besiedelt und hat viele unbebaute Flächen.

北海道の交通

☐ 東京から北海道へ行くには、青函トンネルを通って津軽海峡を渡る寝台列車がいいです。

☐ 新千歳国際空港は、北海道の空の入り口です。

北方領土

☐ 千島列島（クリル諸島）は、北東沿岸に位置しています。

☐ クリル諸島の4島について、日本とロシア双方が領土だと主張し合っています。

アイヌの人々

☐ 北海道にはアイヌという民族が住んでいます。

☐ アイヌは日本の少数民族で、かつては日本の北部に広く居住していました。

☐ アイヌは北海道の先住民族で、日本の他の地域には見られない独特な文化を持っています。

北海道の歴史

☐ 北海道の大部分は19世紀に拓かれました。

☐ 北海道への定住が始まったのは19世紀頃で、日本の他の地域と比べると大変遅いです。

☐ 19世紀の北海道は開拓地でした。

☐ 19世紀の北海道は開拓地でした。そのため、歴史的背景や雰囲気が他の日本の地域とはまったく違います。

十勝平野の雄大な風景

Verkehr auf Hokkaido

Eine gute Möglichkeit, von Tokio nach Hokkaido zu gelangen, ist die Fahrt mit dem Schlafwagenzug durch den Seikan-Tunnel unter der Tsugaru-Straße.

Flughafen Neu-Chitose ist das Tor nach Hokkaido.

Nördliche Gebiete

Die Chishima-Inselkette (Kurilen) befinden sich vor der Nordostküste.

Vier Inseln davor werden sowohl von Japan als auch von Russland beansprucht.

Ainu

Auf Hokkaido gibt es Ureinwohner, die Ainu.

Die Ainu sind eine ethnische Minderheit in Japan, die einen Großteil des japanischen Nordens bevölkerte.

Die Ainu sind die Ureinwohner Hokkaidos mit einer einzigartigen Kultur, die sich nirgendwo sonst in Japan finden lässt.

Geschichte Hokkaidos

Großflächig wurde Hokkaido im 19. Jahrhundert besiedelt.

Die Besiedelung Hokkaidos begannt erst im 19. Jahrhundert, was im Vergleich zum Rest von Japan äußerst spät war.

Im 19. Jahrhundert wurde Hokkaido von Japan erschlossen.

Im 19. Jahrhundert wurde Hokkaido erschlossen. Daher unterscheiden sich historischer Kontext und Atmosphäre stark von anderen Teilen Japans.

札幌・函館

☐ 札幌は北海道の道庁所在地です。

☐ 札幌は北海道の道庁所在地であり、商業の中心です。

☐ 札幌では2月初旬に雪祭りが行われ、野外にディスプレイされた雪の像などを楽しめます。

☐ 函館は昔からの港町で、北海道の海からの玄関口となっています。

札幌雪祭り

Sapporo und Hakodate

Sapporo ist der Sitz der Regierung von Hokkaido.

Sapporo ist der Sitz der Regierung von Hokkaido und auch das Handelszentrum.

Anfang Februar findet in Sapporo das Schneefest statt, bei dem im Freien Schneefiguren aufgestellt werden.

Hakodate ist eine alte Hafenstadt und der Zugang nach Hokkaido vom Meer aus.

函館五稜郭

東北地方

東北地方は別称として、「奥羽地方」「みちのく」と呼ばれることもあります。農業が盛んで、米や酒の産地も多く、海産物などの新鮮な味も楽しめます。青森は本州の最北端に位置しています。

東北地方の概要

☐ 東北地方とは、本州の東北地域のことです。

☐ 東北は本州東北部のことで、北海道とは津軽海峡で隔てられています。

☐ 東北には6つの県があります。

☐ 青森は本州の最北端に位置しています。

☐ 秋田と山形は、日本海に面しています。

☐ 岩手、宮城、そして福島は太平洋に面しています。

東北の交通

☐ 東北と北海道は、青函トンネルで結ばれています。

☐ 東北と北海道をつなぐのは、津軽海峡の下を通る青函トンネルです。

☐ 現在、新幹線という高速列車が、東京と東北地方の各県庁所在地を結んでいます。

☐ 東北は景色を楽しみながら列車の旅をするにはもってこいです。

☐ 東北は山、湖、そして複雑に海岸線が入り組んでいることで知られる三陸海岸などが有名です。

Basisdaten der Region Tohoku

Die Region Tohoku beschreibt das Gebiet im Nordosten von Honshu.

Tohoku befindet sich Nordosten von Honshu und wird durch die Tsugaru-Straße von Hokkaido getrennt.

Tohoku besteht aus sechs Präfekturen.

Aomori liegt am nördlichen Ende von Honshu.

Akita und Yamagata liegen am Japanischen Meer.

Iwate, Miyagi und Fukushima liegen am Pazifik.

Verkehr in Tohoku

Der Seikan-Tunnel verbindet Tohoku mit Hokkaido.

Tohoku wird durch den Seikan-Tunnel, der unter der Tsugaru-Straße verläuft, mit Hokkaido verbunden.

Aktuell verbindet ein Shinkansen genannter Hochgeschwindigkeitszug Tokio mit allen Präfekturhauptstädten Tohokus.

Tohoku bietet das ideale Panorama für eine Zugreise.

In Tohoku gibt es Berge, Seen und eine gewundenen Küstenlinien, wie zum Beispiel die Sanriku-Küste.

東北らしさ

☐ 東北の人は、東北弁という方言を使います。

☐ 東北弁は、東北の人たちが使っている独特な方言のことです。

☐ 東北は夏祭りでよく知られています。

☐ 仙台は七夕祭りで有名です。七夕祭りは星座の伝説に基づいています。

☐ 青森県のねぶた祭りは、豪華な装飾が施された山車がよく知られています。

☐ 秋田県で行われる竿燈祭りでは、長い竿にたくさんの提灯を吊り下げたものを持って人々が練り歩きます。

☐ 東北は民芸品で有名です。

☐ 東北のこけしは、昔からの木製の人形で、主に山形で作られています。

☐ 座敷童は、子供の幽霊のことです。座敷童は古い家々を害から守ると東北では言われています。

☐ なまはげは、秋田地方の鬼のことです。大晦日に、なまはげは家々を訪れ、親の言うことを聞くようにと子供たちを怖がらせます。

青森県

☐ 東北の最北の県は青森です。

☐ 津軽は青森県の西部のことで、リンゴで有名です。

☐ 十和田湖は青森県にあり、湖周辺は美しい山々、川の流れ、温泉などがあります。

岩木山と、その手前に見えるりんご畑

Eigenarten Tohokus

Die Leute aus Tohoku sprechen einen Dialekt, der *Tōhoku-ben* genannt wird.

Der *Tōhoku-ben* ist ein besonderer Dialekt, der von Leuten aus Tohoku gesprochen wird.

Tohoku ist für seine Sommerfeste bekannt.

Sendai ist für das *Tanabata*-Fest bekannt. Das *Tanabata*-Fest beruht auf einer Sternenlegende.

Das *Nebuta*-Fest in der Präfektur Aomori ist für seine prächtig geschmückten Festwagen weithin bekannt.

Beim *Kantō*-Fest in der Präfektur Akita tragen Menschen lange Stangen, an denen viele Laternen befestigt sind, durch die Straßen.

Tohoku ist für Artikel der Volkskunst berühmt.

Die *Kokeshi* aus Tohoku sind urtümliche Holzpuppen, die vor allem in Yamagata angefertigt werden.

Zashiki-Warashi sind Kindergespenster. In Tohoku glaubt man, dass *Zashiki-Warashi* alte Häuser vor Schäden schützen.

Namahage sind Dämonen aus der Region Akita. *Namahage* ziehen am Silvesterabend von Haus zu Haus, um Kinder zu erschrecken, damit sie auf ihre Eltern hören.

Präfektur Aomori

Die nördlichste Präfektur in Tohoku ist Aomori.

Das Gebiet Tsugaru liegt im Westen der Präfektur Aomori. Dort wachsen leckere Äpfel.

Auch der Towada-See, an den wunderschöne Berge, Flüsse und *Onsen* grenzen, liegt in der Präfektur Aomori.

秋田県

☐ 秋田県は、東北の北西にあり、冬季の豪雪で知られています。

☐ 田沢湖は秋田県の行楽地です。

☐ 秋田県に行ったら、角館を訪ねてください。封建時代からの武家屋敷がよく保存されています。

毎年8月の初旬に行われる竿灯祭り

岩手県

☐ 盛岡は岩手県の県庁所在地で、かつては南部氏の所領でした。城跡は今でも街の中心に残っています。

☐ 岩手県の太平洋側は三陸といい、風光明媚なリアス式海岸でよく知られています。

☐ 遠野は岩手県にある村ですが、民間伝承で有名な町です。

☐ 平泉は歴史のある町で、12世紀に権勢を振るった藤原氏の本拠地だったところです。

☐ 岩手県の太平洋岸は、東日本大震災の津波で壊滅的な被害を受けました。

宮城県

☐ 宮城県には仙台市があります。仙台は東北地方の中心です。

☐ 仙台市は東北地方の中心で、この地域では最大の都市です。

☐ 仙台市は、封建時代に最も勢力のあった家の一つ、伊達家の城下町です。

Präfektur Akita

Die Präfektur Akita liegt im Nordwesten von Tohoku. Hier schneit es im Winter heftig.

Der Tazawa-See ist ein Ausflugsziel in der Präfektur Akita.

Bei einer Reise in die Präfektur Akita sollte man unbedingt einen Abstecher in die Stadt Kakunodate machen. Hier gibt es gut erhaltene *Samurai*-Residenzen aus der Feudalzeit.

Präfektur Iwate

Die Großstadt Morioka ist die Präfekturhauptstadt der Präfektur Iwate und gehörte einst zum Territorium des Klans Nambu. Im Stadtkern kann man noch immer die Burgruine sehen.

Der Teil der Präfektur Iwate, der am Pazifik liegt, heißt Sanriku, der für seine bildschöne Riasküste sehr bekannt ist.

Tono ist ein Dorf in der Präfektur Iwate, das für seine volkstümlichen Überlieferungen berühmt ist.

Hiraizumi ist eine geschichtsträchtige Stadt und war die Heimat des Klans Fujiwara, der im 12. Jahrhundert an die Macht kam.

岩手山を眺める

Der Teil der Präfektur Iwate, der am Pazifik liegt, wurde am 11. März 2011 durch das schwere Tohoku-Erdbeben und den folgenden Tsunami völlig verwüstet.

Präfektur Miyagi

Die Stadt Sendai liegt in der Präfektur Miyagi. Sendai ist das Zentrum der Region Tohoku.

Sendai ist das Zentrum und die größte Stadt der Region Tohoku.

Die Stadt Sendai war die Burgstadt eines der mächtigsten Klane der Feudalzeit, dem Klan Date.

白石川に映る宮城の象徴、蔵王山と桜

- □ 仙台の青葉城は、封建時代に最も勢力の大きかった家の一つ、伊達家の居城でした。

- □ 松島は宮城県の北部にある美しい海辺です。

山形県

- □ 山形県は秋田県の南に位置し、日本海に面しています。

- □ 蔵王は山形県にある山で、スキーリゾートとして知られています。

- □ 出羽三山は山形県にある3つの山で、古代より霊山として知られています。

福島県

- □ 福島県は東北南部に位置し、県庁所在地は福島市です。

- □ 会津若松はお城で有名です。

- □ 東北の南部の会津地方では、美しい湖や山が楽しめます。

- □ 会津地方は、1868年に徳川幕府終焉の際、激しい戦いが行われた場所です。

- □ 福島県は、東日本大震災の津波で起きた福島第一原子力発電所のメルトダウンで今でも苦しんでいます。

滝桜と呼ばれる福島三春町の桜

Die Burg Aoba in Sendai war die Residenz eines der mächtigsten Klane der Feudalzeit, dem Klan Date.

Der Stand von Matsushima im Norden der Präfektur Miyagi ist wirklich schön.

Präfektur Yamagata

Die Präfektur Yamagata liegt südlich der Präfektur Akita, am Japanischen Meer.

Der Zao ist ein Berg in der Präfektur Yamagata, der als Skiurlaubsort genutzt wird.

Die Drei Berge von Dewa (*Dewa-sanzan*) in der Präfektur Yamagata sind schon seit Urzeiten heilige Berge.

月山の山頂には月山神社が見える

Präfektur Fukushima

Die Präfektur Fukushima befindet sich im südlichen Teil von Tohoku. Die Stadt Fukushima ist Präfekturhauptstadt.

Die Großstadt Aizu-Wakamatsu ist für ihre Burg bekannt.

Im Süden von Tohoku liegt die Region Aizu mit ihren herrlichen Seen und Bergen.

In der Region Aizu fanden 1868, gegen Ende des Tokugawa-*Shōgunats*, erbitterte Schlachten statt.

In der Präfektur Fukushima ereignete sich aufgrund des schweren Tohoku-Erdbebens und des folgenden Tsunamis am 11. März 2011 im Kernkraftwerk Fukushima I eine Kernschmelze, mit deren Folgen die Region bis heute zu kämpfen hat.

関東地方

関東には、日本の総人口の３分の１が集中しており、首都東京は日本の政治、経済、文化の中心です。東京では、2021年に２回目の夏のオリンピックが開催されました。

関東地方の概要

☐ 関東は本州の東部中央に位置し、日本の中心です。

☐ 関東地方に、東京があります。

☐ 関東地方は東京都のほかに６県あります。

☐ 横浜は東京の南に位置し、首都圏への海の玄関となっています。

☐ 横浜は東京の南に位置する大都市で、江戸時代終わりごろには外国人の居住区でした。

☐ 横浜には日本最大の中華街があります。

☐ 関東北部の群馬県と栃木県の山沿いは、趣のある温泉街がたくさんあります。

☐ 関東の南部から中部にかけて、関東平野が広がっています。

☐ 関東北部から西部にかけては、山や温泉で有名です。

☐ 伊豆諸島は、太平洋側にある伊豆半島から南に連なっています。

☐ 千葉県の成田空港は東京の中心部から列車で1時間ほどのところにあります。

☐ 東京の近くには２つの国際空港があります。

Basisdaten der Region Kanto

Kanto liegt im östlichen Mittelteil von Honshu und ist das Zentrum Japans.

Tokio befindet sich in der Region Kanto.

Neben der Präfektur Tokio gibt es in der Region Kanto noch sechs weitere Präfekturen.

Yokohama liegt südlich von Tokio und bildet das Eingangstor zum Hauptstadtgebiet vom Meer aus.

Yokohama ist eine Metropole südlich von Tokio, in der sich gegen Ende der Edo-Zeit auch Ausländer ansiedelten.

Das größte Chinesenviertel Japans gibt es in Yokohama.

Im Norden Kantos reihen sich die Präfekturen Gunma und Tochigi an die Berge, wo es viele malerische Städte mit *Onsen* gibt.

Von der Mitte bis zum Süden Kantos erstreckt sich die Kanto-Ebene.

Der Norden und der Westen Kantos sind für Berge und *Onsen* bekannt.

Die Izu-Inseln verlängern die Izu-Halbinsel am Pazifik in südliche Richtung.

Den in Chiba gelegenen Flughafen Narita kann man mit dem Zug vom Zentrum Tokios aus in etwa einer Stunde erreichen.

Es gibt zwei internationalen Flughafen in der Nähe von Tokio.

- [ ] 東京の近くには2つの国際空港があります。一つが成田空港で、もう一つが東京の中心からすぐの海沿いにある羽田空港となります。

- [ ] 羽田国際空港は、国内線を利用するのにとても便利です。

- [ ] 羽田からは国際線も発着しています。

- [ ] 成田で時間があれば、ぜひ成田市の新勝寺を訪ねてみてください。

成田空港にも近い、成田山新勝寺

東京近郊の観光

- [ ] 東京周辺には、日光国立公園など、魅力的なところがたくさんあります。

- [ ] 東京からたった2時間ほどのところにある日光は、日光東照宮という豪華な装飾の施された神社があり、人気があります。

- [ ] 日光東照宮は、徳川家康が死んだ翌年の1617年に建立されました。

- [ ] 東京にほど近い鎌倉は、1192年から1333年までの間、将軍が住んでいたところです。

- [ ] 鎌倉にはたくさんの古寺や神社があり、訪ねてみるのもいいものです。

- [ ] 1192年から1333年の間、将軍がいた鎌倉には古寺や神社がたくさんあり、興味深い場所です。

東京

- [ ] 東京は東京都と呼ばれる特別行政区で、23区だけでなく、奥多摩など西部の山あいの地域も含まれています。

- [ ] 太平洋に浮かぶ伊豆と小笠原諸島は、東京都に属し、都内から1000kmにわたって点在しています。

お台場側からのレインボーブリッジ風景

Es gibt zwei internationale Flughäfen in der Nähe von Tokio. Der eine ist der Flughafen Narita, der andere der Flughafen Haneda, der sich am Meer befindet, unweit des Zentrums von Tokio.

Der Flughafen Haneda bietet sich für innerjapanische Flüge an.

Es gibt aber auch internationale Verbindungen vom Flughafen Haneda aus.

Wer in Narita etwas Zeit hat, sollte unbedingt den Shinshō-ji in der Stadt Narita besichtigen.

Sehenswürdigkeiten in und um Tokio

In der weiteren Umgebung von Tokio gibt es viele attraktive Orte, zum Beispiel den Nikkō-Nationalpark.

Von Tokio aus kann man die Stadt Nikko in nur zwei Stunden erreichen. Dort gibt es den eindrucksvoll verzierten Shintō-Schrein Nikkō Tōshō-gū, den viele Leute besuchen.

Der Nikkō Tōshō-gū wurde 1617 errichtet, dem Jahr, in dem Ieyasu Tokugawa starb.

Noch näher an Tokio liegt die Stadt Kamakura, in der von 1192 bis 1333 die *Shōgune* lebten.

In Kamakura gibt es zahlreiche alte Tempel und Shintō-Schreine, die einen Besuch wert sind.

In der Stadt Kamakura, in der von 1192 bis 1333 die *Shōgune* lebten, gibt es zahlreiche alte Tempel und Shintō-Schreine, was die Stadt zu einem besonders interessanten Ziel macht.

Tokio

Tokio ist nicht nur eine Stadt, sondern eine eigene Präfektur mit Sonderbezirken. Die 23 Bezirke von Tokio bilden den Kern, doch die Präfektur Tokio erstreckt sich bis zu den Bergen im Westen, wo sich etwa Okutama befindet.

Die Izu- und Ogasawara-Inseln im Pazifik gehören ebenfalls zur Präfektur Tokio, obwohl sie über 1.000 km von der Stadt entfernt sind.

群馬県

☐ 群馬県は関東の北西に位置し、前橋市が県庁所在地です。

☐ 群馬には、草津、伊香保、水上など多くの有名な温泉があります。

☐ 草津や伊香保には、こじんまりした旅館が多く、日本らしい宿屋などが並ぶ温泉リゾート地です。

☐ 群馬は昔、上州と呼ばれ、この地方の特長として乾燥した冬の風と、女性が強いことで知られています。

栃木県

☐ 栃木県は関東の中北部に位置し、県庁所在地は宇都宮市です。

☐ 栃木県の山沿い地方に日光・那須など、日本でも最も人気のある観光地があります。

☐ 面白いことに、栃木では餃子がよく食べられています。

徳川家康を祀る日光東照宮

茨城県

☐ 茨城県は太平洋に面しており、県庁所在地の水戸には、偕楽園という伝統的な公園があります。

☐ 筑波研究学園都市には数多くの研究施設が集まっています。

☐ 茨城県の霞ヶ浦地方には多くの湖があります。

Präfektur Gunma

Die Präfektur Gunma befindet sich im Nordwesten Kantos, mit der Präfekturhauptstadt Maebashi.

In Gunma gibt es viele beliebte *Onsen*, beispielsweise Kusatsu, Ikaho oder Minakami.

In Kusatsu, Ikaho und anderen Orten gibt es überall gemütliche kleine *Ryokan* und echt japanische Übernachtungsmöglichkeiten, was diese Gegend zu einem *Onsen*-Kurort macht.

草津の湯もみは観光客にも人気

Gunma hieß früher *Jōshū*. Die besonderen Merkmale dieser Region sind die trockenen Winterwinde und starken Frauen.

Präfektur Tochigi

Die Präfektur Tochigi befindet sich nördlich der Mitte Kantos, mit der Präfekturhauptstadt Utsunomiya.

Einige der beliebtesten Reiseziele Japans, wie Nikko und Nasu, befinden sich in den Bergregionen der Präfektur Tochigi.

Interessanterweise isst man in Tochigi gerne *Gyōza*.

Präfektur Ibaraki

Die Präfektur Ibaraki liegt am Pazifik. Die Präfekturhauptstadt ist Mito, in der es einen traditionellen Park namens Kairaku-en gibt.

In der Forschungs- und Universitätsstadt Tsukuba haben sich eine große Zahl an Forschungseinrichtungen angesiedelt.

In der Region Kasumigaura in der Präfektur Ibaraki gibt es viele Seen.

偕楽園にある好文亭

埼玉県

☐ 埼玉県は東京の北に位置し、首都圏に属しています。

☐ 秩父と長瀞は、東京に住む人々にとってちょうどいい山あいのハイキングコースです。

☐ 埼玉の県庁所在地はさいたま市です。

千葉県

☐ 千葉県は東京の東に位置し、東京のベッドタウンになっています。

☐ 千葉県の房総半島には、東京から多くの人がマリンスポーツを楽しみにやってきます。

☐ 成田国際空港は千葉県にあり、東京から電車で約1時間ほどです。

神奈川県

☐ 神奈川県は東京に隣接し、東京湾に面しています。

☐ 横浜市は神奈川県の県庁所在地で、(東京から) 電車で30分ほどです。

☐ 神奈川県の横浜、鎌倉は、史跡なども多いところです。

☐ 神奈川県は都内の人がマリンスポーツを楽しむ場所として人気です。

☐ 箱根は、東京の近くにあって自然を満喫できる山間のリゾートです。

相模湾に面する湘南海岸

Präfektur Saitama

Die Präfektur Saitama liegt nördlich von Tokio und gehört zum Hauptstadtgebiet.

Die Wanderwege in den Bergschluchten von Chichibu und Nagatoro eignen sich für wanderlustige Einwohner von Tokio sehr gut.

Die Hauptstadt der Präfektur Saitama ist die Stadt Saitama.

国指定の名勝、長瀞渓谷

Präfektur Chiba

Die Präfektur Chiba liegt östlich von Tokio und dient Tokio als Trabantenstadt.

Auf der Halbinsel Bōsō, die in der Präfektur Chiba liegt, gehen viele Leute aus Tokio Wassersport nach.

Den in Chiba gelegenen Flughafen Narita kann man mit dem Zug vom Zentrum Tokios aus in etwa einer Stunde erreichen.

Präfektur Kanagawa

Die Präfektur Kanagawa grenzt direkt an Tokio und liegt an der Bucht von Tokio.

Die Stadt Yokohama ist die Hauptstadt der Präfektur Kanagawa und ist von Tokio aus in etwa 30 Minuten mit den Zug zu erreichen.

Die Städte Yokohama und Kamakura in der Präfektur Kanagawa sind reich an historischen und anderen Stätten.

Die Präfektur Kanagawa bietet Großstädtern die Gelegenheit, Wassersport zu treiben.

Hakone ist ein Gebirgsort in der Nähe von Tokio, an dem man die Natur in vollen Zügen genießen kann.

中部地方

中部地方は広い地域を指すため、太平洋側の県と日本海側の県、または内陸に位置する県で、気候、方言、食事、習慣など地域による違いが大きいです。

中部地方の概要

☐ 中部地方は本州中部の広い地域のことです。

☐ 中部地方は日本海にも太平洋にも面しています。

☐ 中部地方には9つの県があります。

☐ 中部地方には9つの県があり、最大の都市は名古屋です。

☐ 名古屋およびその周辺は、日本で3番目に大きな経済産業圏です。

☐ 中部国際空港は、海外から名古屋への空の玄関です。

☐ 北陸地方の中心は金沢です。

富士山

☐ 富士山は静岡県と山梨県の境にあり、その美しい姿で知られています。

☐ 富士山は美しく雄大な火山として日本の象徴になっています。

☐ 富士山は休火山で、標高3776mと日本一の高さです。

☐ 空気が澄んでいるときは、東京からも富士山が見えます。

Track 21

Basisdaten der Region Chubu

Die Region Chubu beschreibt das große Gebiet in der Mitte von Honshu.

Die Region Chubu liegt sowohl am Japanischen Meer als auch am Pazifik.

Die Region Chubu besteht aus neun Präfekturen.

Die Region Chubu besteht aus neun Präfekturen. Die größte Stadt ist Nagoya.

Nagoya samt Umgebung ist das drittgrößte Wirtschafts- und Industriegebiet Japans.

Der internationale Flughafen Chubu ist der Zugang zu Nagoya aus dem Ausland.

Kanazawa ist das Zentrum der Region Hokuriku.

Fuji

Der Fuji liegt auf der Grenze zwischen der Präfektur Shizuoka und der Präfektur Yamanashi und ist für seine ansprechende Form bekannt.

Der Fuji ist als schöner und majestätischer Vulkan zum Symbol Japans geworden.

Der Fuji ist ein inaktiver Vulkan und mit einer Gipfelhöhe von 3.776 m der höchste Berg Japans.

Bei klarer Sicht kann man dem Fuji sogar von Tokio aus sehen.

日本アルプス

☐ 中部地方には、日本アルプスという高い山脈がそびえています。

☐ 日本アルプスでは、山での様々なレジャーを楽しめます。

☐ 日本アルプス方面に行くには、山沿いを通り東京と名古屋を結ぶ中央線を使うのが便利です。

北陸

☐ 北陸地方には北陸本線という列車が通っています。

☐ 小松空港は、福井県と石川県の2県で使用されています。

☐ 中部地方のうち北部を北陸地方といいます。

☐ 中部地方の北部に位置し、日本海に面した北陸地方は、豪雪地帯として知られています。

☐ 北陸地方は積雪の多さで知られていましたが、最近は温暖化の影響でそうでもありません。

静岡県

☐ 静岡県は太平洋に面して広がっています。

☐ 伊豆半島は富士山に近く、国立公園の一部でもあります。

☐ 伊豆半島は比較的東京にも近く、温泉リゾートも数多くあります。

☐ 伊豆半島の入口に熱海があり、温泉リゾートしてとても有名です。

Japanische Alpen

In der Region Chubu erhebt sich ein Hochgebirge, die Japanischen Alpen.

Die Japanischen Alpen bieten Bergfreunden alles, was das Herz begehrt.

In das Gebiet der Japanischen Alpen gelangt man am besten mit der Chuo-Linie, die entlang der Berge verläuft und Tokio mit Nagoya verbindet.

Hokuriku

Die Region Hokuriku wird von der Hokuriku-Hauptlinie bedient.

Die Präfektur Fukui und die Präfektur Ishikawa teilen sich den Flughafen Komatsu.

Der Norden der Region Chubu wird Hokuriku-Gebiet genannt.

Das Hokuriku-Gebiet liegt im Norden der Region Chubu, am Japanischen Meer. Es ist für seine starken Schneefälle bekannt.

Das Hokuriku-Gebiet war eigentlich für seine Schneehöhen bekannt, doch ändert sich dies in letzter Zeit wegen der Erderwärmung.

Präfektur Shizuoka

Die Präfektur Shizuoka erstreckt sich am Pazifik entlang.

Die Izu-Halbinsel ist unweit des Fuji und ist Teil eines Nationalparks.

Die Izu-Halbinsel liegt auch relativ nah an Tokio und kann mit vielen *Onsen*-Kurorten aufwarten.

Am Zugang zur Izu-Halbinsel liegt Atami, ein berühmter *Onsen*-Kurort.

山梨県

- [ ] 山梨県は静岡県の北に位置しています。

- [ ] 甲府盆地は、高い山に囲まれ、山梨県の真ん中に位置しています。

- [ ] 甲府市は山梨県の県庁所在地で、その周辺はブドウ畑があることで知られています。

- [ ] 富士五湖は、富士山の麓にある山と湖の観光地です。

信玄公ゆかりの武田神社

長野県

- [ ] 長野県は、日本アルプスの最高峰の山々が位置するところです。

- [ ] 長野はウィンタースポーツを楽しむのに最適で、1998年には冬季オリンピックも開催されました。

- [ ] 長野は昔は信濃と呼ばれ、今でもこの呼び方が使われることがよくあります。

- [ ] 長野県の県庁所在地は長野市で、642年に善光寺が建てられたことから発展しました。

- [ ] 松本市は城下町で、長野の主要都市のうちのひとつです。

- [ ] 木曽は長野の山間の谷に位置し、封建時代からの古い宿場町が点在しています。

- [ ] 木曽は木曽杉と呼ばれる日本産の杉で有名です。

新潟県

- [ ] 新潟県は、日本海に面し、ロシア東部からの入口になっています。

- [ ] 新潟市は新潟県の県庁所在地で、東京から上越新幹線を使えば簡単に行けます。

Präfektur Yamanashi

Die Präfektur Yamanashi liegt im nördlich der Präfektur Shizuoka.

Das Kofu-Becken, das mitten in der Präfektur Yamanashi liegt, wird von hohen Bergen umschlossen.

Die Stadt Kofu, deren Umgebung für ihre Weinberge bekannt ist, ist die Präfekturhauptstadt der Präfektur Yamanashi.

Die fünf Fuji-Seen (*Fuji goko*) liegen am Fuß des Fuji und sind eine Sehenswürdigkeit für Berg- und Seefreunde.

Präfektur Nagano

In der Präfektur Nagano befinden sich die höchsten Gipfel der Japanischen Alpen.

In Nagano herrschen optimale Bedingungen für Wintersport, weswegen hier 1998 die Olympischen Winterspiele ausgetragen wurden.

Nagano hieß früher Shinano. Auch heute benutzen manche noch diesen Namen.

Die Präfekturhauptstadt der Präfektur Nagano ist die Stadt Nagano, deren Entwicklung nach dem Bau des Zenkō-ji im Jahre 642 begann.

Matsumoto ist eine Burgstadt und eine der wichtigsten Städte in Nagano.

Kiso liegt in einem Bergtal in Nagano, in dem es hier und dort Städte mit Poststation gibt.

Kiso ist für seine japanische Zeder berühmt, genannt *Kiso-sugi*.

Präfektur Niigata

Die Präfektur Niigata liegt am Japanischen Meer und gegenüber dem Osten Russlands.

Die Stadt Niigata ist die Hauptstadt der Präfektur Niigata und ist beispielsweise mit dem „Jōetsu"-Shinkansen gut zu erreichen.

日本百名山のひとつ、妙高山

- [ ] 長岡と新潟県の山沿いで、世界最深積雪を記録しました。

- [ ] 新潟は封建時代には越後と呼ばれていました。

- [ ] 佐渡は日本海に浮かぶ島で、かつては金山があることで知られていました。

富山県

- [ ] 富山市は富山県の県庁所在地で、日本海の富山湾に面しています。

- [ ] 立山連峰は、登山のほかにスキーリゾートとしても知られています。

- [ ] 富山周辺はイカやカニなどの海産物が豊富です。

市街から立山連峰を眺める

- [ ] 富山の山間には昔ながらの集落が残っています。五箇山もそのひとつで、世界遺産に登録されています。

石川県

- [ ] 金沢は北陸地方にある町で、史跡がたくさんあります。

- [ ] 金沢は北陸地方にある町で、日本庭園で知られる兼六園や武家屋敷など、史跡がたくさんあります。

- [ ] 金沢は、江戸時代に権勢を振るった前田家が統治していた歴史的な町です。

雪つりがなされた名勝兼六園

- [ ] 金沢では洗練された見事な工芸品を見ることができます。そのひとつが日本の焼き物である九谷焼です。

- [ ] 加賀友禅と呼ばれる染め物は、金沢の工芸品として有名です。

- [ ] 輪島とその周辺は、ひなびた村々や、民芸品、そして美しい海岸線で知られています。

Der höchste Schneedecke der Welt wurde in Nagaoka und in den Bergen der Präfektur Niigata verzeichnet.

Niigata wurde in der Feudalzeit Echigo genannt.

Sado ist eine Insel im Japanischen Meer, auf der es einst eine Goldmine gab.

Präfektur Toyama

Die Stadt Toyama ist die Hauptstadt der Präfektur Toyama und liegt an der Bucht von Toyama am Japanischen Meer.

In der Gebirgskette Tate kann man nicht nur Bergsteigen, sondern auch Ski fahren.

Das Gebiet von Toyama ist reich an Meeresprodukten, wie etwa Tintenfisch oder Krabben.

In den Bergen von Toyama gibt es noch traditionelle Dörfer. Eines davon ist Gokayama, eine Welterbestätte.

Präfektur Ishikawa

Kanazawa ist eine Stadt in der Region Hokuriku mit vielen historischen Stätten.

Kanazawa ist eine Stadt in der Region Hokuriku, die für ihre vielen historischen Stätten bekannt ist, wie z. B. dem japanischen Garten Kenroku-en oder den Samurai-Residenzen.

Kanazawa ist eine historisch bedeutsame Stadt, da hier der mächtige Klan Maeda zur Edo-Zeit (1603–1868) regierte.

In Kanazawa gibt es viel raffiniert gearbeitetes Kunsthandwerk zu sehen, darunter die *Kutani*-Keramik, eines der Keramikprodukte Japans.

Die gefärbten Stoffe, genannt *Kaga-Yūzen*, sind ebenfalls ein bekanntes Produkt aus Kanazawa.

Die Kleinstadt Wajima und ihre Umgebung ist für ihren ländlichen Charme, Artikel der Volkskunst und die schöne Küste bekannt.

福井県

☐ 福井県は京都の北に位置し、県庁所在地の福井市は城下町です。

☐ 福井県の県庁所在地の福井市の近くには、禅宗の一派である曹洞宗の大本山である永平寺があります。

☐ 福井は、東尋坊という岩だらけの細く伸びた海岸で有名です。

岐阜県

白川郷の合掌造りの集落

☐ 長野と同様に、岐阜県も内陸の山地をまたぐようにして広がっています。

☐ 岐阜県の白川郷は、茅葺きの急勾配の屋根の家があることで知られており、世界遺産にも登録されています。

☐ 飛騨谷は、岐阜県の山間地方で、高山市はこの谷に古くからある町です。

愛知県

☐ 中部地方の中心は名古屋です。名古屋とその周辺で、日本第3の経済圏を形成しています。

☐ 名古屋とその周辺地域は、東京、大阪に次ぐ、日本で3番目の商業地区です。

☐ 名古屋は愛知県にあり、かつて尾張と呼ばれていました。

☐ 江戸時代の尾張は、将軍に最も近い親戚によって治められていました。

☐ 名古屋までは、東京から新幹線で1時間半で行けます。

金の鯱鉾から、金城とも称される名古屋城

Präfektur Fukui

Die Präfektur Fukui liegt nördlich von Kyoto. Ihre Präfekturhauptstadt ist die Burgstadt Fukui.

In der Nähe der Präfekturhauptstadt Fukui gibt es den Eihei-ji. Er ist einer der Haupttempel einer Schule des Zen-Buddhismus, der *Sōtō-shū*.

九頭竜川河口にある景勝地、東尋坊

Fukui ist berühmt für einen nur aus Felsen bestehenden, schmalen Küstenstreifen namens Tōjimbō.

Präfektur Gifu

Wie in Nagano erstreckt sich auch im Landesinneren der Präfektur Gifu eine breite Bergregion.

Shirakawa-gō in der Präfektur Gifu ist bekannt für seine Häuser mit steil aufragenden Strohdächern und ist eine Welterbestätte.

Das Hida-Tal (*Hidatani*) liegt in einem Berggebiet der Präfektur Gifu. Hier gibt es schon seit Alters her die Stadt Takayama.

Präfektur Aichi

Nagoya ist das Zentrum der Region Chubu. Die Stadt Nagoya ist mit ihrer Umgebung die drittwichtigste Wirtschaftsregion in Japan.

Die Stadt Nagoya und ihr Umland sind nach Tokio und Osaka die drittwichtigste Wirtschaftsregion in Japan.

Nagoya liegt in der Präfektur Aichi und hieß früher Owari.

In der Edo-Zeit (1603–1868) wurde Owari von der engsten Familie des *Shōguns* regiert.

Mit dem Shinkansen dauert von Tokio nach Nagoya eineinhalb Stunden.

近畿地方

関西地方ともいいます。長い間、日本の首都（都）がおかれていたこともあり、日本の伝統的な歴史や文化の中心地でもあります。日本の世界文化遺産の半分近くが、近畿地方にあるといわれるほどです。

近畿地方の概要

☐ 近畿地方は、かつては日本の政治的、文化的中心でした。

☐ 京都が位置しているのが近畿地方です。

☐ 近畿地方最大の都市は大阪です。

☐ 大阪とその周辺地域は、東京に次いで、日本で2番目に大きい商業地区です。

☐ 京都は大阪の東に位置しており、通勤列車で簡単に行くことができます。

☐ 近畿地方とは、名古屋の西、岡山県の東になります。

☐ 近畿地方には5つの県と、2つの特別区があります。

☐ 大阪、京都、神戸が近畿地方で最も大きな都市で、大大阪経済圏を成しています。

☐ 紀伊半島という大きな半島には、深い山や谷があり、その美しい海岸線を電車でも楽しむことができます。

☐ 名古屋の西から、南方向へ伸びる紀伊半島から、日本の多くの古代史が始まりました。

☐ 紀伊半島にはいくつかとても重要な神社や寺があります。こうした場所を結ぶ巡礼の道を熊野古道といいます。

☐ 紀伊半島の東側には伊勢神宮という神社があります。

Basisdaten der Region Kinki

Die Region Kinki war früher das politische und kulturelle Zentrum Japans.

Kyoto liegt in der Region Kinki.

Die größte Stadt in der Region Kinki ist Osaka.

Die Stadt Osaka und ihr Umland sind nach Tokio die zweitwichtigste Wirtschaftsregion in Japan.

Kyoto liegt östlich von Osaka und ist mit Pendlerzügen gut zu erreichen.

Die Region Kinki liegt westlich von Nagoya und östlich der Präfektur Okayama.

Region Kinki besteht aus fünf Präfekturen und zwei Sonderverwaltungszonen.

Osaka, Kyoto und Kobe sind die größten Städte der Region Kinki und bilden die Wirtschaftsregion Osaka.

Die Kii-Halbinsel (*Kii-hantō*) ist geprägt von Bergen, Tälern und einer wunderschönen Küste, an deren Anblick man sich vom Zug aus erfreuen kann.

Auf der Kii-Halbinsel, die sich westlich von Nagoya aus gen Süden erstreckt, hat ein Großteil der alten Geschichte Japans seinen Ursprung.

Auf Kii-Halbinsel gibt es einige wichtige Shintō-Schreine und Tempel. Die Pilgerrouten, die diese Orte miteinander verbinden, heißen *Kumano Kodō*.

Auf der Ostseite der Kii-Halbinsel befindet sich der Shintō-Schrein Ise-jingū.

☐ 伊勢神宮は皇室にとっての氏神で、日本でも最も崇拝されるところの一つです。

☐ 伊勢神宮は約2000年前に建てられました。

☐ 紀伊半島の中央部を大和と呼び、そこに古代の朝廷がありました。

☐ 大和地方は日本の国が誕生したところとされています。

☐ 大和地方には、1500年以上前の古墳、寺、神社などが多く残っています。

近畿地方の交通

☐ 近畿地方を訪れるには、新幹線が便利です。

☐ 直接近畿地方に入りたい人には、関西国際空港が玄関口です。

☐ 近鉄 (電車) は奈良、大和、伊勢間を効率よく結んでいます。

☐ 近鉄 (電車) は大阪、奈良、京都、三重、愛知を結ぶ便利な私鉄です。

大阪

☐ 大阪は大阪府とよばれる特別区で、日本で2番目に大きい経済の中心地です。

1615年に焼失後、江戸期に再建された大阪城

京都

☐ 京都は京都府とよばれる特別区で、京都市が県庁所在地です。

☐ 京都府の北端には景観の美しい若狭湾があり、日本海に面しています。

Der Ise-jingū ist der Schutzgöttin der Kaiserfamilie gewidmet und damit einer der am meisten verehrten Orte in Japan.

Der Ise-jingū wurde vor etwa 2.000 Jahren errichtet.

Der mittlere Teil der der Kii-Halbinsel heißt Yamato. Hier befand sich in der Antike der Kaiserhof.

Die Region Yamato gilt als Geburtsort des Landes Japan.

In der Region Yamato finden sich noch viele Hügelgräber (*Kofun*), Tempel und Shintō-Schreine, die über 1.500 Jahre alt sind.

Verkehr in der Region Kinki

In die Region Kinki kommt man am besten mit dem Shinkansen.

Für Direktflüge in die Region Kinki bietet sich der Flughafen Kansai an.

Die Bahngesellschaft Kintetsu verbindet den Raum Nara, Yamato und Ise effizient.

Die private Bahngesellschaft Kintetsu ist praktisch, wenn man zwischen Osaka, Nara, Mie und Aichi unterwegs ist.

Osaka

Osaka ist eigentlich eine Sonderverwaltungszone auf Ebene einer Präfektur, die Ōsaka-fu heißt und das Zentrum des zweitgrößten Wirtschaftsraums Japans ist.

Kyoto

Kyoto ist eigentlich eine Sonderverwaltungszone auf Ebene einer Präfektur, die Kyōto-fu heißt und die Stadt Kyoto zur Präfekturhauptstadt hat.

Ganz im Norden der „Präfektur" Kyoto gibt es die Bucht von Wakasa, die eine herrliche Landschaft bietet und am Japanischen Meer liegt.

日本三景のひとつ、天橋立

□ 京都府の北には、深い杉の森林が広がっています。

奈良県

□ 奈良県は紀伊半島の真ん中あたりに位置し、奈良市が県庁所在地です。

□ 奈良は日本でも指折りの歴史の町で、710年から784年の間、都が置かれていたところです。

□ 奈良は京都から簡単に行けます。電車で京都駅から30分ほどです。

□ 奈良の古の都は、平城京といいます。

□ 京都と比べると、奈良はかなりリラックスした雰囲気です。

□ 奈良では8世紀に建立された東大寺に行くのがよいでしょう。

□ 東大寺は、752年に完成した世界最大の銅製の大仏で有名です。

□ 東大寺のほかにも、奈良にはたくさんの古い寺があります。

明日香村の石舞台古墳

□ 奈良西部には、680年に建立された薬師寺があります。

□ 薬師寺は美しい三重塔が有名で、これは730年に建てられたものです。

□ 法隆寺は世界で最も古い木造建築で、607年に完成しました。

□ 奈良地方にある東大寺、薬師寺、法隆寺など多くの寺には、中国文化の影響が強く見られます。

Im Norden der „Präfektur" Kyoto erstrecken sich tiefe Zedernwälder.

Präfektur Nara

Die Präfektur Nara befindet sich genau in der Mitte der Kii-Halbinsel. Die Präfekturhauptstadt ist die Stadt Nara.

Nara ist eine sogar für japanische Verhältnisse alte Stadt Japans und war von 710 bis 784 die Hauptstadt Japans.

Von Kyoto aus ist Nara ganz einfach zu erreichen. Mit dem Zug dauert es vom Bahnhof Kyoto aus etwa 30 Minuten.

Vor langer Zeit war Nara die Hauptstadt Japans und hieß *Heijō-kyō*.

Verglichen mit Kyoto geht es in Nara viel entspannter zu.

Für einen Besuch des im 8. Jahrhunderts errichteten Tempels Tōdai-ji lohnt sich eine Reise nach Nara.

Der Tōdai-ji wurde 752 fertiggestellt und ist für die weltgrößte Buddha-Statue aus Kupfer bekannt.

Neben dem Tōdai-ji gibt es in Nara viele alte Tempel.

Im Westen von Nara steht der 680 erbaute Yakushi-ji.

Der Yakushi-ji ist für seine dreistöckige Pagode bekannt, die 730 gebaut wurde.

Der Hōryū-ji ist das älteste Holzgebäude und wurde 607 fertiggestellt.

In und um Nara gibt es viele Tempel, wie den Tōdai-ji, den Yakushi-ji oder den Hōryū-ji, bei denen der Einfluss der chinesischen Kultur sofort ins Auge springt.

和歌山県

☐ 和歌山県は紀伊半島の西に位置し、和歌山市が県庁所在地です。

☐ 和歌山の南部は太平洋に面しており、温暖な気候で知られています。

☐ 和歌山は紀州と呼ばれて、かつては将軍の親戚の領地でした。

☐ 和歌山県には高野山という山があり、そこは日本の密教である真言宗の総本山です。

高野山には真言宗の総本山、金剛峰寺がある

☐ 高野山は、真言宗の総本山がある山の名前で、真言宗は819年に有名な弘法大師によって開かれました。

三重県

☐ 三重県は奈良県の東に位置し、名古屋にも近いです。県庁所在地は津市です。

☐ 三重県の東海岸にある伊勢志摩地方は、神道でも最も神聖な場所として知られています。伊勢神宮もここにあります。

☐ 伊勢志摩の海岸に沿って、たくさんの真珠養殖場があります。

兵庫県

☐ 兵庫県は大阪の西に位置しています。

☐ 神戸は兵庫県の県庁所在地で、日本で最も重要な港のひとつです。

☐ 神戸は、1995年の阪神淡路大震災で大きな被害を受けました。

☐ 淡路島は瀬戸内海で最大の島で、本州とは明石海峡大橋でつながっています。

Präfektur Wakayama

Die Präfektur Wakayama befindet sich im Westen der der Kii-Halbinsel. Die Präfekturhauptstadt ist die Stadt Wakayama.

Der Süden von Wakayama liegt am Pazifik. Diese Gegend ist für ihr mildes Klima bekannt.

Wakayama wurde Kishū genannt und gehörte früher zum Territorium der Familie des *Shōguns*.

In der Präfektur Wakayama gibt es eine Berggruppe namens *Kōya-san*, auf dem sich der Haupttempel des Shingon-Buddhismus – des japanischen esoterischen Buddhismus – befindet.

Kōya-san ist der Name des Berges, auf dem sich der Haupttempel des Shingon-Buddhismus befindet. Er wurde 819 vom berühmten Daishi Kōbō gegründet.

Präfektur Mie

Die Präfektur Mie liegt östlich der Präfektur Nara, in der Nähe von Nagoya. Die Hauptstadt die Stadt Tsu.

An der Ostküste der Präfektur Mie ist die Region Ise-Shima gelegen, dem heiligsten Ort des Shintō. Hier steht auch der Ise-jingū.

Entlang der Küste von Ise-Shima gibt es zahlreiche Perlenfarmen.

二見町の夫婦岩

Präfektur Hyogo

Die Präfektur Hyogo liegt westlich von Osaka.

Kobe ist die Hauptstadt der Präfektur Hyogo und verfügt über einen der wichtigsten Häfen Japans.

1995 ereignete sich das Große Hanshin-Awaji-Erdbeben, durch das Kobe schwer beschädigt wurde.

Awaji-Shima ist die größte Insel im Seto-Binnenmeer und ist über die Akashi-Kaikyō-Brücke an Honshu angebunden.

□ 淡路島は大鳴門橋で、四国の徳島とも
つながっています。

□ 明石海峡大橋は、世界最長の吊り橋で
す。

□ 姫路は姫路城という美しいお城があ
ることで知られています。

国の重要文化財にも指定されている姫路
城（白鷺城）

滋賀県

□ 滋賀県の中央部には、日本最大の湖である琵琶湖があります。

□ 滋賀県は、文化的にも経済的にも京都や大阪との結びつきが強い地域です。

□ 彦根城の天守は国宝で、城の周囲は特別史跡に指定されています。

Die Ōnaruto-Brücke verbindet Awaji-Shima mit der Präfektur Tokushima auf Shikoku.

Die Akashi-Kaikyō-Brücke ist die längste Hängebrücke der Welt.

Himeji ist für die wunderschöne Burg Himeji (*Himeji-jō*) bekannt.

Präfektur Shiga

In der Mitte der Präfektur Shiga befindet sich der größte See Japans, der Biwa (*Biwa-ko*).

Die Präfektur Shiga pflegt sowohl kulturell als auch wirtschaftlich enge Beziehungen mit Kyoto und Osaka.

Der Burgfried der Burg Hikone (*Hikone-jō*) ist ein Nationalschatz Japans, und das Gebiet um das Schloss ist als besondere historische Stätte ausgewiesen.

琵琶湖の眺め

中国地方

山陰 (日本海側) と山陽 (瀬戸内海側) では、気候、風習、食なども大きく違います。
温暖な山陽と違い、山陰の一部は豪雪地帯でもあります。

中国地方の概要

☐ 中国地方は本州の西の地域です。

☐ 中国地方は近畿地方の西に位置しています。

☐ 中国地方は瀬戸内海という内海にそって広がっています。

☐ 中国地方は関西と九州の間に位置しています。

☐ 中国地方には5つの県があります。

☐ 中国地方で一番大きいのは広島市です。

山陽・山陰

☐ 中国地方の南、瀬戸内海に面した側を山陽と言います。

☐ 中国地方の島根県と鳥取県は、日本海に面しています。

☐ 山陽の主な都市には、新幹線で行くことができます。

☐ 山陽新幹線は、山陽地方の都市を経由しながら、大阪と九州を結んでいます。

☐ 東京から広島までは、新幹線で4時間半です。

☐ 中国地方の北部は日本海に面しており、山陰と呼ばれています。

Basisdaten der Region Chugoku

Die Region Chugoku befindet sich im Westen von Honshu.

Die Region Chugoku liegt westlich der Region Kinki.

Die Region Chugoku erstreckt sich entlang des Seto-Binnenmeers.

Die Region Chugoku ist zwischen Kansai und Kyushu gelegen.

Die Region Chugoku besteht aus fünf Präfekturen.

Die größte Stadt der Region Chugoku ist Hiroshima.

Region San'yō und Region San'in

Der südliche Teil der Region Chugoku, der am Seto-Binnenmeer liegt, heißt San'yō.

Die Präfekturen Shimane und Tottori in der Region Chugoku liegen dagegen am Japanischen Meer.

Die wichtigsten Städte der Region San'yō können mit dem Shinkansen erreicht werden.

Der „San'yō"-Shinkansen fährt von Osaka nach Kyushu, durch die Großstädte der Region San'yō.

Mit dem Shinkansen dauert es viereinhalb Stunden von Tokio nach Hiroshima.

Der nördliche Teil der Region Chugoku, der am Japanischen Meer liegt, heißt San'in.

第 5 章
日本各地の説明

中国地方…概要／山陽・山陰

瀬戸内海

☐ 瀬戸内海は本州と四国の間にあります。

☐ 瀬戸内海は本州と四国を隔てていますが、橋で行き来できます。

☐ 瀬戸内海は重要な海の交通ルートであるだけでなく、小さな島が点在する景観の美しいところです。

☐ 瀬戸内海には無数の静かな漁村が点在しています。

広島県

☐ 広島県は、山口県と岡山県に挟まれ、県庁所在地は広島市です。

☐ 広島県には、世界遺産が2つあります。ひとつは広島平和記念公園で、もうひとつが厳島神社です。

☐ 広島市は、1945年に原爆で破壊されたことで世界中で知られています。

☐ 1945年8月6日、原爆が広島市上空で爆発し、およそ9万人が即死しました。

海上に立つ珍しい神社、厳島神社

☐ 20万人以上の人が広島市の原爆で亡くなりました。

☐ 広島では多くの人が放射能による健康被害に苦しみました。

☐ 第二次世界大戦後、広島市は平和都市となりました。

☐ 今では広島市は、この地方の商業・産業の中心地で、100万人以上の人が住んでいます。

鳥取県

☐ 鳥取県は日本海に面し、県庁所在地は鳥取市です。

Seto-Binnenmeer

Das Seto-Binnenmeer liegt zwischen Honshu und Shikoku.

Das Seto-Binnenmeer trennt zwar Shikoku von Honshu, doch es gibt eine Brücke.

Das Seto-Binnenmeer ist nicht nur eine wichtige Seeroute, es bezaubert auch durch seine verstreut liegenden kleinen Inseln.

Am Seto-Binnenmeer liegen unzählige beschauliche Fischerdörfer.

Präfektur Hiroshima

Die Präfektur Hiroshima wird von der Präfektur Yamaguchi und der Präfektur Okayama umschlossen. Die Präfekturhauptstadt ist die Stadt Hiroshima.

In der Präfektur Hiroshima gibt es zwei Welterbestätten. Eine davon ist der Friedenspark Hiroshima, die andere der Itsukushima-Schrein.

Die Stadt Hiroshima ist weltweit dafür bekannt, 1945 durch eine Atombombe zerstört worden zu sein.

Am 6.8.1945 detonierte im Luftraum über der Stadt Hiroshima eine Atombombe, wodurch ungefähr 90.000 Menschen sofort starben.

Über 200.000 Menschen starben in der Stadt Hiroshima durch die Atombombe.

In Hiroshima wurden zahlreiche Menschen verstrahlt und erlitten dadurch schwere Gesundheitsschäden.

Nach dem Zweiten Weltkrieg wurde die Stadt Hiroshima zu einer Stadt des Friedens.

Heute ist die Stadt Hiroshima mit über einer Million Einwohnern das regionale Wirtschafts- und Industriezentrum.

Präfektur Tottori

Die Präfektur Tottori liegt am Japanischen Meer. Die Präfekturhauptstadt ist die Stadt Tottori.

☐ 鳥取市の海岸には、鳥取砂丘という大きな砂丘があります。

☐ 米子近辺は、鳥取県の産業の中心です。

島根県

☐ 島根県は日本海に面し、鳥取県の西に位置します。

☐ 松江市は島根県の県庁所在地で、城下町として知られています。

☐ 19世紀後半、松江は作家でジャーナリストのラフカディオ・ハーン（小泉八雲）によってアメリカに紹介されました。

☐ 出雲には出雲大社という重要な神社があり、ここは日本神話の時代まで遡ることができます。

岡山県

☐ 岡山県は広島の東に位置し、県庁所在地は岡山市です。

☐ 岡山県の南部は瀬戸内海に面しています。

山口県

☐ 山口県は本州の西の端に位置し、九州とは関門橋で結ばれています。

☐ 山口県は封建時代には長州と呼ばれ、明治維新で重要な役割を果たした大藩でした。

☐ 萩は長州の昔の都で、興味深い史跡がたくさんあります。

☐ 山口県の下関は、中国地方の西の端に位置し、関門海峡を挟んで、九州と対峙しています。

本州と九州を分かつ関門海峡

Am Strand der Stadt Tottori gibt es große Sand-Küstendünen, die Tottori-Dünen (*Tottori-sakyū*).

Das Gebiet Yonago ist das Industriezentrum der Präfektur Tottori.

Präfektur Shimane

Die Präfektur Shimane liegt am Japanischen Meer, westlich der Präfektur Tottori.

Die Stadt Matsue ist die Hauptstadt der Präfektur Shimane und ist für ihre Eigenschaft als Burgstadt bekannt.

Ende des 19. Jahrhunderts wurde Matsue durch den Schriftsteller und Journalisten Lafcadio Hearn (japanischer Name: Yakumo Koizumi) in den USA bekannt.

In Izumo gibt es einen wichtigen Shintō-Schrein, den Izumo-Taisha, den es schon zur Zeit der japanischen Mythologie gegeben haben soll.

Präfektur Okayama

Die Präfektur Okayama liegt östlich von Hiroshima. Die Präfekturhauptstadt der Präfektur Okayama ist die Stadt Okayama.

Der Südteil der Präfektur Okayama liegt am Japanischen Meer.

Präfektur Yamaguchi

Die Präfektur Yamaguchi liegt am westlichen Ende von Honshu und ist durch die Kammon-Brücke mit Kyushu verbunden.

Zur Feudalzeit wurde die Präfektur Yamaguchi *Chōshū* genannt und war ein großes Lehen, das bei der Meiji-Restauration (1868) eine wichtige Rolle spielte.

Hagi ist die ehemalige Hauptstadt von *Chōshū* und kann mit vielen interessanten historischen Stätten aufwarten.

Shimonoseki in der Präfektur Yamaguchi liegt am westlichen Ende der Region Chugoku. Hier befindet sich auch die Kanmon-Meerenge, mit Kyushu auf der anderen Seite.

四国地方

四国は、日本の主要4島の中では一番小さな島です。四方を海に囲まれ、温暖な気候で、果物の生産が盛んです。

四国地方の概要

☐ 日本の4つの主要な島の中で、四国が一番小さいです。

☐ 四国は、中国地方の南、瀬戸内海を渡ったところに位置しています。

☐ 四国は大阪の南西に位置しています。

☐ 四国には4つ県があり、すべての県が海に面しています。

☐ 四国は本州四国連絡橋という橋で行き来することができます。

☐ 四国はその温暖な気候と山地で知られています。

☐ 四国はミカンと海産物が有名です。

☐ 四国には4つの県があります。

四国の交通

☐ 中国地方の岡山から、瀬戸内海を渡る列車で、四国に行くことができます。

☐ 四国に行くには、多くの人が新幹線で岡山まで行き、四国行きの電車に乗り換えます。

☐ 四国のすべての県庁所在地の近くには空港があり、東京や大阪から飛行機で行けます。

Basisdaten der Region Shikoku

Von den vier Hauptinseln Japans ist Shikoku die kleinste.

Shikoku liegt im Süden der Region Chugoku, getrennt durch das Seto-Binnenmeer.

Shikoku befindet sich südwestlich von Osaka.

Shikoku besteht aus vier Präfekturen, die alle am Meer liegen.

Nach Shikoku kann man über Brücken kommen, die zusammen „Honshu-Shikoku-Verbindungsbrücken" genannt werden.

Shikoku ist für sein mildes Klima und seine Bergregionen bekannt.

Bekannte Produkte aus Shikoku sind Zitrusfrüchte, vor allem die Mandarinenart *Mikan*, und Meeresprodukte.

Shikoku besteht aus vier Präfekturen.

Verkehr in Shikoku

Shikoku kann man mit Zügen aus Okayama in der Region Chugoku erreichen, die das Seto-Binnenmeer überqueren.

Viele Leute, die nach Shikoku möchten, fahren mit dem Shinkansen bis Okayama und steigen dann in einen Zug nach Shikoku um.

In der Nähe aller Präfekturhauptstädte auf Shikoku gibt es einen Flughafen, so dass man von Tokio oder Osaka aus auch mit dem Flugzeug fliegen kann.

四国らしさ

□ 四国生まれの空海は僧で、日本でも最も影響のある密教のひとつ、真言宗を開きました。

□ 空海は弘法大師とも呼ばれ、今の香川県、讃岐で774年に生まれました。

□ 四国は、空海ゆかりの88ヵ所のお寺を回る四国お遍路という巡礼で有名です。

□ 多くの日本人が、四国88ヵ所を歩いて周る巡礼の旅に出かけます。

□ 四国88ヵ所を周る巡礼者のことを、日本語でお遍路さんと呼びます。

□ お遍路は、日本人に人気の巡礼の旅で、全長1200キロ以上あります。

愛媛県

本州と四国を結ぶ来島大橋

□ 愛媛県は、四国の北西に位置し、県庁所在地は松山市です。

□ 松山は四国で最大の都市です。

□ 道後は、松山市にほど近い温泉地として有名です。

□ 石鎚山は、西日本で最も高い山で、仏教の修行の場として有名です。

香川県

□ 香川県は四国の北東に位置し、県庁所在地は高松市です。

□ 岡山から本州四国連絡橋を通って高松まで列車で行けるようになり、とても便利になりました。

金比羅宮の参道

Eigenarten Shikokus

Kūkai war ein Mönch, der auf Shikoku geboren wurde und eine der Schulen des esoterischen Buddhismus gründete, die auf Japan den stärksten Einfluss hatten, den *Shingon*-Buddhismus.

Kūkai wurde auch Daishi Kōbō genannt und 774 in der ehemaligen Provinz *Sanuki*, die in der heutigen Präfektur Kagawa lag, geboren.

Auf Shikoku gibt es einen berühmten Pilgerweg (*Shikoku henro*), auf dem 88 Tempel liegen, die mit Kūkai zu tun haben.

Viele Japaner begeben sich nach Shikoku, um zu Fuß eine Pilgerreise zu den 88 Tempeln zu machen.

Menschen, die hier eine Pilgerreise zu den 88 Templen unternommen haben, werden *O-henro-san* genannt (auch wenn sie nicht alle besucht haben).

O-henro ist eine bei Japanern beliebte Pilgerreise, die insgesamt über 1.200 km lang ist.

Präfektur Ehime

Die Präfektur Ehime befindet sich im Nordwesten von Shikoku. Die Präfekturhauptstadt ist die Stadt Matsuyama.

Matsuyama ist die größte Stadt auf Shikoku.

Dōgo ist ein bekannter *Onsen*-Kurort unweit von Matsuyama.

Der Ishizuchi-san ist der höchste Berg Westjapans und ein für buddhistische Übungen wichtiger Ort.

Präfektur Kagawa

Die Präfektur Kagawa befindet sich im Nordosten von Shikoku. Die Präfekturhauptstadt ist die Stadt Takamatsu.

Seitdem Takamatsu über die Honshu-Shikoku-Verbindungsbrücken mit dem Zug von Okayama aus angefahren werden kann, hat sich die Reise dorthin stark vereinfacht.

□ 香川県は、讃岐うどんと呼ばれる麺で有名です。

□ 香川県は晴天の日が多く、雨量が少ないです。

徳島県

□ 徳島県は四国東部に位置し、県庁所在地は徳島市です。

□ 徳島市までは、瀬戸内海を渡る大きな吊橋を使うと、大阪や神戸から車で簡単に行けます。

□ 鳴門海峡は、速い渦潮で有名です。

大小の渦巻ができる鳴門海峡

高知県

□ 高知県は四国の南側で、県庁所在地は高知市です。

□ 高知県は太平洋に面し、黒潮と呼ばれる海流のおかげで温暖です。

□ 高知県は四国の南部にあり、温暖な気候で知られています。

□ 高知はかつて土佐と呼ばれ、封建時代には山内氏が統治していました。

□ 高知では、カツオやマグロなどの海の幸を楽しめます。

□ 気候が温暖なので、高知では年に2度、米が収穫できます。

Sanuki-Udon sind eine Nudelspezialität der Präfektur Kagawa.

In der Präfektur Kagawa gibt es viele sonnige Tage und wenig Regen.

Präfektur Tokushima

Die Präfektur Tokushima befindet sich im östlichen Teil von Shikoku. Die Präfekturhauptstadt ist die Stadt Tokushima.

Von Osaka oder Kobe aus kann man Tokushima über eine große Hängebrücke über das Seto-Binnenmeer einfach mit dem Auto erreichen.

Die Naruto-Straße ist für ihre schnellen Strudel berühmt.

Präfektur Kochi

Die Präfektur Kochi befindet sich im südlichen Teil von Shikoku. Die Präfekturhauptstadt ist die Stadt Kochi.

Die Präfektur Kochi liegt am Pazifik. Der Japanstrom (*Kuroshiro*) bringt viel Wärme.

Die Präfektur Kochi liegt im Süden von Shikoku und ist für ihr mildes Klima bekannt.

Kochi wurde früher Tosa genannt. In der Feudalzeit herrschte hier der Klan Yamanouchi (bzw. Yamauchi).

In Kochi sind Meeresprodukte, wie Bonito oder Thunfisch, besonders gut.

Wegen des milden Klimas kann man in Kochi zweimal pro Jahr Reis ernten.

高知市街を臨む

九州地方

九州はアジアに近いので、古代には中国や韓国の無数の技術や文化の受け入れ口でした。日本の最西端に位置する沖縄は、363の島からなる県で、亜熱帯の気候をいかしたマリンスポーツなどの観光が盛んです。

九州地方の概要

☐ 九州は日本の4つの島のうち、最も南に位置しています。

☐ 九州は冬は暖かく、夏は暑いです。

☐ 九州地方の商業の中心は福岡市です。

☐ 九州と本州の間には関門海峡があります。

☐ 九州には多くの火山、温泉があり、美しい景観の海岸線も楽しめます。

☐ 九州には沖縄も含め8つの県があります。

☐ 福岡市と北九州市は、九州の中でも最大のメガシティで、両市とも福岡県にあります。

九州の交通

☐ 九州には東京から新幹線で行けます。所要時間は約5時間です。

☐ 2011年、新幹線は、九州の最南端の県、鹿児島まで延長されました。

☐ 東京から九州までは飛行機で1時間半かかります。

☐ 九州は大陸に近いので、何世紀もの間、日本への玄関口でした。

Basisdaten der Region Kyushu

Von den vier Hauptinseln Japans ist Kyushu die südlichste.

In Kyushu ist es im Winter warm und im Sommer heiß.

Das wirtschaftliche Zentrum der Region Kyushu ist die Stadt Fukuoka.

Zwischen Kyushu und Honshu liegt die Kanmon-Meerenge.

In Kyushu gibt es viele Vulkane und *Onsen*, dazu herrliche Küsten.

Einschließlich Okinawas besteht Kyushu aus acht Präfekturen.

Fukuoka und Kitakyushu sind die größten Megastädte in Kyushu. Beide befinden sich in der Präfektur Fukuoka.

Verkehr in Kyushu

Kyushu kann man von Tokio aus mit dem Shinkansen erreichen. Die Fahrt dauert etwa fünf Stunden.

Seit 2011 kann man auch die südlichste Präfektur Kyushus, Kagoshima, mit dem Shinkansen erreichen.

Mit dem Flugzeug dauert es von Tokio nach Kyushu eineinhalb Stunden.

Aufgrund der Nähe zum asiatischen Festland war Kyushu für Jahrhunderte das Tor zu Japan.

第 5 章 日本各地の説明

九州地方 … 概要 ／ 交通

九州の歴史

- [ ] とくに古代において、中国や韓国からの無数の技術、文化が、九州経由で、日本に入ってきました。

- [ ] 過去、九州は韓国と多くの交流を行ってきました。

- [ ] 九州が、日本史の起源と考える人も多いです。

- [ ] 九州には、先史時代からの考古学的な遺跡が無数にあります。

- [ ] 封建時代、九州は強力な大名によって分割されていました。例えば、島津氏は現在の鹿児島県を支配していました。

- [ ] 日本が江戸時代に鎖国をしている間、長崎の出島と呼ばれる人工島が唯一の開かれた港で、オランダ商人だけが、ここで貿易することができました。

- [ ] 西部九州はその昔、キリスト教が幕府によって禁止されていたとき、隠れキリシタンがいたところとして知られています。

- [ ] 幕府によってキリスト教が禁止されていた頃、隠れてキリスト教を信仰していた人を、隠れキリシタンといいます。

- [ ] 隠れてキリスト教を信仰した人の多くが、17世紀、長崎県や熊本県で殉教しました。

福岡県

- [ ] 福岡県は九州の北端に位置し、県庁所在地は福岡市です。

- [ ] 九州最大の都市は福岡市で、九州の北部沿岸に位置しています。

- [ ] 福岡市は九州の商業の中心です。

- [ ] 福岡空港からは、アジア各地へ飛行機で行くことができます。

Geschichte Kyushus

Vor allem in der Antike verbreiteten sich über Kyushu zahllose technische und kulturelle Errungenschaften aus China und Korea in Japan.

Früher gab es einen regen Austausch zwischen Kyushu und Korea.

Viele Leute sehen Kyushu als den Ausgangspunkt der Geschichte Japans an.

In Kyushu gibt es unzählige archäologische Stätten aus prähistorischer Zeit.

In der Feudalzeit teilten mächtige Territorialfürsten (*Daimyō*) Kyushu unter sich auf. So herrschte beispielsweise der Klan Shimazu über die Präfektur Kagoshima.

Während der Abschließungspolitik Japans zur Edo-Zeit (1603–1868) war die künstlich aufgeschüttete Insel *Dejima* bei Nagasaki der einzige offene Hafen, in dem ausschließlich niederländische Händler Im- und Export betreiben durften.

Zu jener Zeit war das Christentum durch die *Shōgunats*regierung verboten worden. Der westliche Teil Kyushus ist dafür bekannt, dass es dort damals Kryptochristen (*Kakure Kirishitan*) gab.

Als das Christentum durch die *Shōgunats*regierung verboten war, gab es Gläubige, die im Verborgenen dem Christentum nachgingen. Sie werden *Kakure Kirishitan* genannt.

Viele der Kryptochristen wurden im 17. Jahrhundert in der Präfektur Nagasaki und der Präfektur Kumamoto zu Märtyrern.

Präfektur Fukuoka

Die Präfektur Fukuoka befindet sich am Nordende von Kyushu. Die Präfekturhauptstadt ist die Stadt Fukuoka.

Die größte Stadt Kyushus ist Fukuoka, die an der nördlichen Küste Kyushus liegt.

Das wirtschaftliche Zentrum von Kyushu ist die Stadt Fukuoka.

Von Flughafen Fukuoka aus kann man auf das asiatische Festland fliegen.

水郷の町を流れる柳川

- [ ] 福岡と韓国の釜山の間には、フェリーが運行しています。

- [ ] 福岡市の下町、博多には地元気質や伝統が残っています。

- [ ] 博多は福岡市の商業地域で、山笠という夏祭りもここで行われます。

- [ ] 博多山笠は、勢いのいい元気な祭りとして知られています。装飾の施された山車を担ぎ、通りに勢いよく出ていきます。

- [ ] 北九州市はかつて町の南部に炭鉱があったおかげで鉄鋼業が盛んでした。

- [ ] 北九州市は本州から九州への玄関口で、本州の下関とはトンネルと橋でつながっています。

佐賀県

弥生時代の集落跡、吉野ケ里遺跡

- [ ] 佐賀は、福岡県と長崎県に挟まれた県です。県庁所在地は佐賀市です。

- [ ] 佐賀は伝統的な陶器で有名です。伊万里、唐津、有田市などでたくさんの陶器が作られています。

- [ ] 佐賀南部は有明海の湾に面しています。湾の干潟にはムツゴロウというひょうきんな魚が生息します。

- [ ] 佐賀県北部では、リアス式海岸にそって素晴らしい景色が堪能できます。

長崎県

- [ ] 長崎は九州の西の端に位置しています。

- [ ] 長崎市は1945年に2発目の原爆が落とされた町です。

- [ ] 広島市と同様、長崎市も平和貢献都市になりました。

278

Zwischen Fukuoka und Busan in Südkorea besteht auch eine Fährverbindung.

Der Kern von Fukuoka, Hakata, hat sich seinen lokalen Charme und seine Traditionen erhalten.

Hakata ist das Wirtschaftszentrum Fukuokas. Hier findet ein Sommerfest namens *Yamakasa* statt.

Das *Yamakasa* in Hakata ist als kraftvolles und energiegeladenes Fest bekannt, bei dem geschmückte Festwagen zügig durch die Straßen getragen werden.

In der Stadt Kitakyushu florierte früher die Stahlindustrie, dank der Kohleminen im südlichen Teil der Stadt.

Die Stadt Kitakyushu ist von Honshu aus der Zugang zu Kyushu. Sie ist durch einen Tunnel und eine Brücke mit Shimonoseki in Honshu verbunden.

Präfektur Saga

Die Präfektur Saga wird von der Präfektur Fukuoka und der Präfektur Nagasaki umschlossen. Die Hauptstadt ist die Stadt Saga.

Saga ist für seine traditionelle Keramik bekannt. In den Städten Imari, Karatsu und Arita wird viel davon hergestellt.

Der Südteil von Saga liegt an einer Bucht, dem Ariake-See. Im Watt der Bucht lebt eine drollige Fischart, der Schlammspringer.

Im Norden der Präfektur Saga verläuft eine Riasküste, die spektakuläre Anblicke bietet.

Präfektur Nagasaki

Nagasaki liegt am westlichen Ende von Kyushu.

Auf die Stadt Nagasaki wurde 1945 die zweite Atombombe abgeworfen.

Wie Hiroshima wurde auch Nagasaki zu einer Stadt, die zum Frieden beitrug.

- [ ] 封建時代、長崎は日本の海外に開かれた唯一の窓でした。

- [ ] 長崎にはチャイナタウンがあり、そこでは和食と中華を融合させた伝統の料理が楽しめます。

- [ ] チャンポンは長崎に住む中国人が作り出した麺料理です。

- [ ] 長崎県の西岸に沿って、数えきれない島や入り江があります。

重要文化財の頭ケ島天主堂

- [ ] 平戸は歴史的な街で、禁教にも関わらず、ひそかに信仰を続けた隠れキリシタンについて知ることができます。

- [ ] 島原半島には雲仙岳という火山があります。島原市はこの半島にある美しい城下町です。

- [ ] 長崎県の東シナ海には、島々が点在しています。

熊本県

- [ ] 熊本は福岡の南にある県で、県庁所在地は熊本市です。熊本市は熊本城で有名です。

- [ ] 阿蘇山は熊本県にある火山で、九州のまん中に位置しています。

- [ ] 熊本県西岸には、天草諸島という景色のよい島々が点在しています。

茶臼山上に建てられた熊本城
（1607年）

Während der Feudalzeit war Nagasaki der einzige Ausländern offenstehende Hafen Japans.

In Nagasaki gibt es ein Chinesenviertel. Hier kann man eine Mischung aus traditioneller japanischer und chinesischer Küche genießen.

Champon ist ein Nudelgericht, das in Nagasaki lebende Chinesen erfunden haben.

Die Westküste der Präfektur Nagasaki ist von unzähligen Inseln und Meeresarmen geprägt.

Hirado ist eine traditionelle Stadt, dafür bekannt ist, dass auch während des Religionsverbots die Kryptochristen insgeheim ihre Religion weiterpraktizierten.

Auf der Shimabara-Halbinsel gibt es einen Vulkankomplex, der Unzen heißt. Shimabara ist eine hübsche Burgstadt auf der Halbinsel.

Der Teil des Ostchinesischen Meers, der in der Präfektur Nagasaki liegt, ist voller Inseln.

Präfektur Kumamoto

Kumamoto ist eine Präfektur, die sich südlich von Fukuoka befindet. Die Präfekturhauptstadt ist die Stadt Kumamoto. Die Großstadt Kumamoto ist für ihre Burg, die Burg Kumamoto, bekannt.

Der Aso ist ein Vulkan in der Präfektur Kumamoto, der sich genau in der Mitte von Kyushu befindet.

Vor der Westküste der Präfektur Kumamoto liegt eine Vielzahl bildschöner Inseln, die Amakusa-Inseln.

大分県

- □ 大分県は熊本県の東に位置し、山やリアス式海岸が見事な景観を作り出しています。県庁所在地は大分市です。

- □ 大分県の別府と湯布院は、温泉地として有名で、その他、山間部にもたくさんの温泉があります。

- □ 国東半島の谷あいにはたくさんの仏教寺院があり、修行の場として知られています。

- □ 大分県の宇佐という街には宇佐八幡宮があり、そこは武人の守り神とされています。

別府地獄めぐりのひとつ、海地獄

宮崎県

特別天然記念物の蘇鉄

- □ 宮崎県は九州の南東にあり、黒潮が流れていることで気候はとても温暖です。県庁所在地は宮崎市です。

- □ 高千穂は、日本統治のためにニニギノミコトが降臨した場所と言われています。

- □ 日南海岸は太平洋に面した人気の観光地です。

鹿児島県

- □ 鹿児島県は九州の南部に位置し、県庁所在地は鹿児島市です。

- □ 鹿児島湾には桜島があり、活火山です。この火山は鹿児島市の向い側にあります。

Präfektur Oita

Die Präfektur Oita liegt im Osten der Präfektur Kumamoto, wo Berge und die Riasküste einen prächtigen Anblick bieten. Die Präfekturhauptstadt ist die Stadt Oita.

Beppu und Yufuin in der Präfektur Oita sind als *Onsen*-Kurort bekannt, doch auch in den Bergen gibt es viele weitere *Onsen*.

In den Tälern der Kunisaki-Halbinsel gibt es viele buddhistische Tempel, die für ihre buddhistischen Übungen bekannt sind.

In der Präfektur Oita gibt es eine Stadt namens Usa, in der sich der Schrein Usa Hachiman-gū befindet. Hier wird der Schutzgott der Krieger verehrt.

Präfektur Miyazaki

Die Präfektur Miyazaki befindet sich im Südosten von Kyushu. Dank des Japanstroms ist das Klima hier sehr mild. Die Präfekturhauptstadt ist die Stadt Miyazaki.

Es heißt, dass Ninigi-no-Mikoto in Takachiho auf die Erde herabstieg, um über Japan zu herrschen.

Eine beliebte Sehenswürdigkeit ist der Quasi-Nationalpark Nichinan-Kaigan am Pazifik.

Präfektur Kagoshima

Die Präfektur Kagoshima befindet sich am Südende von Kyushu. Die Präfekturhauptstadt ist die Stadt Kagoshima.

In Bucht von Kagoshima liegt der aktive Vulkan Sakurajima. Dieser Vulkan befindet sich gegenüber der Stadt Kagoshima.

現在も噴火を繰り返す桜島

☐ 霧島は鹿児島にあるもうひとつの活火山で、県北部に位置しています。周囲には多くの温泉地があります。

☐ 封建時代、鹿児島は薩摩と呼ばれ、島津氏が統治する強力な藩でした。

☐ 鹿児島の人々は、鹿児島弁という方言を使っています。

☐ 鹿児島県には自然のすばらしい奄美諸島もあります。

☐ 種子島は、JAXA（宇宙航空研究開発機構）が運営する宇宙センターがあることで知られています。

沖縄県

☐ 沖縄も九州の一部ですが、歴史的にも文化的にもまったく異なります。

☐ 沖縄は九州と台湾の間に位置しています。

☐ 沖縄県は、亜熱帯気候に属しています。

☐ 沖縄は、160の島が連なる南西諸島の南にあり、その県庁所在地は那覇市です。

☐ 沖縄県の属する南西諸島を琉球諸島とよびます。

象の鼻の形が特徴的な万座毛

☐ 沖縄は熱帯の自然があり、日本人にとって人気の観光地です。

☐ 沖縄の文化やライフスタイルは、その位置、歴史的背景により、ほかの日本の地域とはまったく異なっています。

☐ 沖縄独自の料理、酒、そしてタバコがあります。

☐ 島唄と呼ばれる沖縄民謡が、歌い継がれています。

In Kagoshima gibt es weitere aktive Vulkane, die Kirishima-Vulkangruppe, die sich im Norden der Präfektur befinden. In deren Umgebung gibt es einige *Onsen*-Kurorte.

In der Feudalzeit hieß Kagoshima Satsuma und wurde vom Klan Shimazu, einem starken Fürstentum (*Han*), regiert.

Die Leute aus Kagoshima sprechen einen Dialekt, der *Kagoshima-ben* genannt wird.

Zu der Präfektur Kagoshima gehören auch die Amami-Inseln mit ihrer herrlichen Natur.

Die Insel Tanegashima ist dafür bekannt, dass die JAXA (Japan Aerospace Exploration Agency) hier einen Weltraumbahnhof unterhält.

Präfektur Okinawa

Okinawa ist zwar ein Teil von Kyushu, unterscheidet sich aber historisch wie kulturell deutlich.

Okinawa liegt zwischen Kyushu und Taiwan.

In der Präfektur Okinawa herrscht ein subtropisches Klima.

Okinawa im Süden der sich über 160 Inseln erstreckenden Nansei-Inseln. Die Präfekturhauptstadt ist die Stadt Naha.

Die Nansei-Inseln, zu denen die Präfektur Okinawa gehört, werden Ryukyu-Inseln genannt.

Die tropische Natur Okinawas macht die Präfektur zu einem beliebten Reiseziel für Japaner.

Die Kultur und der Lebensstil in Okinawa unterscheiden sich aufgrund der Lage und des historischen Hintergrunds stark von anderen Regionen Japans.

Küche, Alkohol und Tabak – alles ist auch Okinawa ganz anders.

Die *Shima-uta* genannten Volkslieder aus Okinawa werden auch heute noch gesungen.

☐ 島唄は沖縄の民謡で、地元の弦楽器である三線にあわせて歌われます。

☐ 三線は蛇皮線とも呼ばれます。三線は沖縄独特の楽器で、弦が3本で、胴の部分には蛇の皮が張られています。

☐ 那覇には、ユネスコの世界遺産に登録されている首里城という城があります。

☐ 沖縄はかつては琉球王国という独立国でした。

☐ 17世紀、日本による侵攻が始まりました。

☐ 沖縄が公式に日本となったのは1879年のことです。

☐ 1945年、沖縄はアメリカ軍に攻撃され、激しい戦場となりました。

☐ 沖縄の戦闘で、94,000人以上の人が亡くなり、その多くが市民でした。

☐ 戦争中、看護婦として従軍していた多くの若い女学生が殺されたり、自殺したりした壕が、沖縄南端にあります。

☐ 沖縄戦の被害者には看護婦として従軍していた若い女学生もいました。彼女たちはひめゆり部隊として知られています。

☐ 沖縄は第二次世界大戦中、唯一アメリカ軍が侵攻した県です。

☐ 日米安全保障条約により、沖縄本島にはたくさんの米軍基地があります。

☐ 日本人にとって、沖縄本島の18％を占める米軍基地の問題は、賛否両論ある政治的関心事です。

Shima-uta sind Volkslieder aus Okinawa, die von dem einheimischen Zupfinstrument *Sanshin* begleitet werden.

Die *Sanshin* wird auch *Jabisen* genannt. Die *Sanshin* ist ein originelles Instrument aus Okinawa. Es hat drei Saiten und der Korpus ist mit Schlangenhaut bespannt.

In Naha gibt es die Burg Shuri, die von der UNESCO zum Weltkulturerbe ernannt wurde.

Okinawa war einst ein eigenständiger Staat, das Königreich Ryukyu.

Im 17. Jahrhundert begann die Invasion seitens Japans.

1879 wurde Okinawa offiziell Teil Japans.

1945 griffen die USA Okinawa an, was zu heftigen Gefechten führte.

In den Gefechten in Okinawa fielen über 94.000 Menschen, davon viele Zivilisten.

An der Südspitze von Okinawa befinden sich Luftschutzkeller, in denen viele Schulmädchen, die während des Krieges als Hilfskrankenschwestern dienten, getötet wurden oder Selbstmord begingen.

Viele der Opfer der Schlacht um Okinawa waren Schulmädchen, die während des Krieges als Hilfskrankenschwestern dienten. Diese Schülerinnen sind als Himeyuri-Schülerinnentrupp (*Himeyuri Butai*) bekannt.

Okinawa war die einzige Präfektur, die im Zweiten Weltkrieg von den USA invadiert wurden.

Auf Grundlage des Sicherheitsvertrages zwischen den USA und Japan gibt es auf der Okinawa-Hauptinsel (*Okinawa Hontō*) viele US-Militärstützpunkte.

Dass 18 % der Okinawa-Hauptinsel als US-Militärstützpunkt genutzt werden, ist für Japaner eine kontrovers diskutierte politische Angelegenheit.

ドイツ語 日本紹介事典　JAPAPEDIA

<ruby>ジャパペディア</ruby>

2023 年 9 月 4 日　　第 7 刷発行

編　　者　　IBCパブリッシング
ドイツ語訳　　ミューラ・マルクス

発 行 者　　浦　　晋亮

発 行 所　　IBCパブリッシング株式会社
　　　　　　〒162-0804 東京都新宿区中里町29番3号 菱秀神楽坂ビル
　　　　　　Tel. 03-3513-4511　Fax. 03-3513-4512
　　　　　　www.ibcpub.co.jp

印 刷 所　　株式会社シナノパブリッシングプレス

ISBN978-4-7946-0779-9